皮皮鲁总动员

www.pipilu.com

用我们的想象力，带给亿万人快乐。

郑渊洁

郑渊洁一个人写《童话大王》月刊33年，总发行量逾2亿册，这是一项世界纪录。联合国世界知识产权组织向郑渊洁颁发“国际版权创意金奖”，表彰他创作了众多经典作品。郑渊洁笔下的皮皮鲁、鲁西西、大灰狼罗克、舒克和贝塔影响了中国三代孩子，数以亿计。郑渊洁书刊总销量超过3亿册。郑渊洁是目前全球出版量名列前茅的中国作家，他三次登顶中国作家榜。汶川和玉树地震后，郑渊洁用稿费向地震灾区的孩子捐款150万元，国家民政部授予郑渊洁“中华慈善楷模”称号。2011年，国家新闻出版总署、国家版权局和全国扫黄打非办授予郑渊洁国家反盗版形象大使称号。

皮皮鲁总动员 经典童话系列

鲁西西外传

郑渊洁 著

浙江出版联合集团
浙江少年儿童出版社·杭州

我是鲁西西，我介绍你认识我的好朋友团团，我们来自两个不同的世界，经历了奇妙的旅程，快来一起体验吧！

郑渊洁经典童话 注音版

鲁西西外传

目录

鲁西西外传

——写给女孩子看的童话

Ⓐ 女孩子的抗议

一天下午，邮递员给我送来一大堆信。

从信封上的字迹判断，都是孩子们写的。我爱看读者来信。

我拆开一封信，开始津津有味地看起来。看着看着，我觉得脸上发烧了，还红一阵白一阵的。信是这样写的：

郑叔叔：

您是个说话不算数的叔叔！您说写完给男孩子看的童话，马上就写给我们女孩子看的童话。我们一直眼巴巴地等着，可直到现在（今天中午12点35分27秒）为止，我们还没有看到给女孩子写的童话，有时我们忍不住，偷偷地看《皮皮鲁外传——写给男孩子看的童话》，男生发现了就起哄，弄得我们很不好意思！总之，您是个说话不算数的叔叔！

一个女孩子

我不知所措地拿起第二封信：

piān xiàng de zhèng shū shu
偏向的郑叔叔：

nín piān xiàng nán hái zi kàn bu qǐ wǒ men nǚ hái zi nín zhǐ gěi nán hái zi xiě shū bù lǐ cǎi wǒ men wǒ men xiàng nín biǎo shì qiáng liè de kàng yì
您偏向男孩子，看不起我们女孩子。您只给男孩子写书，不理睬我们，我们向您表示强烈的抗议！！！

yī qún nǚ hái zi
一群女孩子

suǒ yǒu de xìn dōu shì zhè yàng de nèi róng wǒ lián fàn yě gù bù shàng chī le zhǔn bèi le wǔ píng mò shuǐ yī kǒu qì xiě le sān tiān sān yè zǒng suàn bǎ gěi nǚ hái zi kàn de tóng huà xiě hǎo le bù xìn nǐ men kàn
所有的信都是这样的内容！我连饭也顾不上吃了，准备了五瓶墨水，一口气写了三天三夜，总算把给女孩子看的童话写好了，不信你们看——

zhǐ xǔ nǚ hái zi kàn de tóng huà
只许女孩子看的童话

lǔ xī xī wài zhuàn
《鲁西西外传》

jué mì
绝密

qǐng nán hái zi zì jué zì jué zài zì jué
请男孩子自觉！自觉！！再自觉！！！

zhè shì běn tóng huà de fā xíng guǎng gào hé xiě gěi nán hái zi kàn de tóng huà de guǎng gào yī mú yī yàng yī diǎnr piān xiàng dōu bù gǎn yǒu
这是本童话的发行广告，和写给男孩子看的童话的广告一模一样，一点儿偏向都不敢有。

lǔ xī xī lái dào lìng yī gè shì jiè
B 鲁西西来到另一个世界

lǔ xī xī jīn nián shí èr suì
鲁西西今年十二岁。

如果你偷偷看过《皮皮鲁外传》，那你一定知道她是皮皮鲁的妹妹。鲁西西干吗不和皮皮鲁姓一个姓？原来，他们的爸爸妈妈有这样一个协议：生男孩子跟爸爸姓，生女孩子跟妈妈姓。结果，他们生了一对双胞胎——一男一女。于是，男孩子跟爸爸姓皮，女孩子跟妈妈姓鲁，一个叫皮皮鲁，一个叫鲁西西。

鲁西西不像哥哥那样淘气，她不爱到屋外面去玩，爱在家里玩。

“在家里玩？多没劲！”你可能会说。

鲁西西觉得有劲。她家的墙上、

桌子上、柜子上都有她的朋友。鲁西西每天写完作业就和他们玩。

房顶上的白灰鼓起了一个小包，像一只小狗。墙上有三个钉子扎过的小孔，像一个小朋友的脸。桌子上那些奇形怪状的木纹，像高山，像大河，像……鲁西西就喜欢和这些朋友玩，当然是自言自语地说，很有意思。

这天下午，鲁西西放学后在家里写作业。铅笔尖磨圆了，她拿起小刀在桌面上刮铅笔芯。小刀一下一下地碰到桌面上。

“哎哟！”不知从哪儿传来一声喊叫。

鲁西西吓了一跳，她回头看看，屋里没人！

鲁西西继续刮铅笔芯。

“哎哟！疼死了！”又是一声。

“你是谁？”鲁西西有点害怕了。

“我是团团，你干吗用刀子扎我？”从桌面上传来的声音！

鲁西西仔细一看，可不是嘛，桌面上有一块木纹像一张小女孩的脸，鲁西西早就认识她，可她从来没说过话！

“对不起，扎疼了吗？”鲁西西轻声问。

“够疼的，要不我不会叫出声来

的。”团团显然不满意了。

“我去给你拿点儿药水。”鲁西西站起来。

“不用，不用。你们的药对我们没用。”团团说。

“你们？”鲁西西惊讶地问。

“是呀！是我们！你们有你们的世界，我们有我们的世界。在我们的世界里，有许许多多好玩的地

fang tuán tuán wàng le
方。”团团忘了

téng xīng fèn de shuō
疼，兴奋地说。

lǔ xī xī méi
鲁西西没

xiǎng dào chú le zì jǐ
想到，除了自己

shēng huó de shì jiè
生活的世界，

hái yǒu lìng wài yī gè
还有另外一个

shì jiè yī gè tè bié
世界，一个特别

hǎo wán de shì jiè ér
好玩的世界，而

qiě jiù zài zì jǐ jiā li
且就在自己家里！

nǐ lái wán hǎo ma tuán tuán tǐng xǐ huan lǔ xī
“你来玩好吗？”团团挺喜欢鲁西

xī tā bǎ gāng cái bù yú kuài de shì gěi wàng le
西，她把刚才不愉快的事给忘了。

wǒ lǔ xī xī dī tóu kàn kàn zì jǐ de shēn
“我？”鲁西西低头看看自己的身

tǐ wǒ zhè me dà zěn me jìn qù ne
体，“我这么大，怎么进去呢？”

nǐ kàn zhe wǒ nǎo zi li shén me yě bié
“你看着我，脑子里什么也别

xiǎng mò mò de zuò shí fēn zhōng jiù néng jìn lái tuán
想，默默地坐十分钟，就能进来。”团
tuán jiāo gěi tā
团教给她。

zhēn de
“真的？”

bù piàn nǐ
“不骗你。”

lǔ xī xī zuò xià lái yǎn jing kàn zhe tuán tuán
鲁西西坐下来，眼睛看着团团。
tā zhè cái zhī dào nǎo zi li shén me dōu bù xiǎng hěn
她这才知道，脑子里什么都不想很
nán gāng bǎ zhè ge shì hōng chū qù nà ge shì yòu qiāo
难。刚把这个事轰出去，那个事又悄
qiāo zuān jìn lái dà nǎo jiǎn zhí xiàng gè huǒ chē zhàn méi
悄钻进来。大脑简直像个火车站，没
yǒu kòng zhe de shí hou
有空着的时候。

shí fēn zhōng guò qù le lǔ xī xī hái zuò zài
十分钟过去了，鲁西西还坐在
nà lǐ
那里。

wǒ jìn bù qù tā xiè qì de shuō
“我进不去。”她泄气地说。

bié jí zài shì yī cì xīn yào jìng tuán
“别急，再试一次，心要静。”团
tuán shuō
团说。

鲁西西使劲儿把脑子里的事都赶出去。过了一会儿，她觉得自己的身体好像飘了起来，进入了另一个世界。

“行啦，这不是进来了吗？”团团拉着鲁西西的手高兴地说。

鲁西西一看，真的进来了。她再一看，这真是一个奇妙的世界，就是在童话书里也没见过这般神奇的地方。

C 零食王国

鲁西西的眼睛看花了，这里的一切都那么新鲜。大树长在房上，鸟儿在水里游泳，鱼儿在路上走……

“你们这儿的鱼离开水还能活？”鲁西西的眼睛都瞪圆了。

“那当然。”团团得意地说，“你们那儿有你们那儿的规矩，像什么鱼不能离开水呀，吃东西必须用嘴啦，我们这儿和你们那儿不一样，要不，我干吗告诉你好玩呢！”

“真逗。”鲁西西乐了。

团团是个胖乎乎的小姑娘，鲁西

西很喜欢她。她俩很快就成了朋友。

“刚才把你弄疼了吗？”鲁西西想起刚才在桌子上刮铅笔，把团团碰疼了，挺难为情。

“没关系，要不你还进不来呢！”团团笑了，“不过，以后你可别在桌子上刮铅笔了，碰着谁，谁都会疼的。”

鲁西西点头答应了。

“对了，我一会儿怎么出去呀？”鲁西西忽然想到这个问题。

“你一直跟着我就行了。我把你带进来也只有我能送你出去。等你玩够了，我就送你出去，好吗？”

“行。”鲁西西点点头。

“走，我带你去认识认识国王。”团团说。

“国王？”鲁西西一听国王就害怕，在她心目中，国王都是长着大胡子的可怕人物。

“你怎么了？”团团见鲁西西脸都吓白了，吃惊地问。

“国王很厉害吧？”鲁西西胆怯了。

hēi guó wáng lì hai shén me hái bù hé zán
“嘿！国王厉害什么？还不和咱
men yī yàng
们一样。”

guó wáng hé zán men yī yàng
“国王和咱们一样？”

duì ya
“对呀！”

tā bù zhuā zán men
“他不抓咱们？”

gàn má zhuā zán men
“干吗抓咱们？”

wǒ kàn shū shang xiě de guó wáng dōu ài zhuā rén
“我看书上写的国王都爱抓人。”

nà shì nǐ men nàr de shū wǒ men zhèr
“那是你们那儿的书！我们这儿
de guó wáng shéi yě bù guǎn jiù guǎn líng shí
的国王谁也不管，就管零食。”

guǎn líng shí
“管零食？”

duì ya
“对呀！”

lǔ xī xī jué de tài xīn xiān le hái yǒu guǎn líng
鲁西西觉得太新鲜了，还有管零
shí de guó wáng
食的国王！

zǒu ba bié hài pà tuán tuán lā zhe lǔ xī
“走吧，别害怕。”团团拉着鲁西

xī de shǒu shuō
西的手说。

lǔ xī xī bàn xìn bàn yí de gēn zhe tuán tuán qù zhǎo
鲁西西半信半疑地跟着团团去找
líng shí guó wáng
零食国王。

tā men zǒu guò yí zuò xiǎo qiáo lái dào yí zuò lǜ
她们走过一座小桥，来到一座绿
sè de mù wū zi qián
色的木屋子前。

zhè jiù shì guó wáng de jiā
“这就是国王的家。”

tuán tuán shuō wán shēn
团团说完伸
shǒu qù qiāo mén
手去敲门。

lǔ xī xī duǒ zài
鲁西西躲在
tuán tuán shēn hòu yǐ fáng
团团身后，以防
wàn yī
万一。

mén kāi le lǔ xī xī
门开了，鲁西西
tōu yǎn wàng qù chà diǎnr xiào
偷眼望去，差点儿笑
chū shēng lái yí gè bā
出声来——一个八

岁左右的男孩子，穿着一身华贵的王服，头上戴着辉煌的王冠。

“是团团，快进来！”国王一边拍手一边说。

“我给你带来一位客人。”团团把身后的鲁西西拉到国王面前。

“我叫鲁西西。”鲁西西自我介绍说。她一点儿也不怕了。

“欢迎！欢迎！”国王笑了。

鲁西西进屋一看，国王的家里全是零食，有花生米、瓜子、巧克力、冰棍、鸡蛋卷……

D 零食国王的名单上有鲁西西

鲁西西平时最爱吃零食，就连写作业也是一边嗑瓜子一边写，嘴里不闲着。

鲁西西看到这么多零食，咽了一下口水。尤其是那些话梅，她一见就想吃。

“你一定爱吃零食吧？”国王问鲁

西西。

鲁西西刚想说“爱”，团团赶紧拽了一下她的衣服。鲁西西没说出来。

“不爱吃？”国王不相信，“女孩子有几个不爱吃零食的！”

国王说完从抽屉里拿出一个大厚本子。

“这是你们那儿所有爱吃零食的人的名单，你的名字要在上面就糟了。”团团小声告诉鲁西西。

“为什么？”鲁西西还是头一次听说有爱吃零食的人的名单，她觉得挺好玩。

“零食全归国王管。吃剩的皮呀、核呀什么的也归他管。零食国王最爱开玩笑，他要是发现你爱吃零食，就把你吃过的那些东西让你检阅，能活活累死你，而他在一旁哈哈大笑。”团团说。

鲁西西一看，零食国王正在翻名单。

“我怎么会在他的名单上呢？”

鲁西西不相信，凑过去看。

本子上是密密麻麻的

名字。名字后面还有一个括弧，里面注明性别。女孩子比男孩子多，占绝对优势。鲁西西看见了自己认识的几个女孩子的名字。

“哈，你在这儿呢！”零食国王高兴了，指给鲁西西看。

鲁西西一看，可不是嘛！

“鲁西西”三个字后边的括弧里还注明“女”。

“糟了。”团团小声说。

零食国王对鲁西西说：“请你检阅你吃过的零食大军。”

国王说完递给鲁西西一张纸，鲁西西一看，纸上是这样写的：

检阅零食大军注意事项

检阅者必须始终保持立正姿势，右手举起，与右耳平行。检阅期间，不得变换姿势，否则将肚子疼。变换三次以上者，永远不长个儿。

第一届世界零食代表大会

一致通过

“看明白了吧？”零食国王冲鲁西西挤了一下眼睛，一副调皮样儿。“这、这得多长时间呀？”鲁西西还是觉得挺好玩，只要时间不长，检阅自己吃过的零食挺有意思。

“这要看你吃过多少零食了。”零食国王不等鲁西西再说话，就把她拉到一个画好的方块里，“你站在这里检阅，千万别动。”

零食国王和团团坐在鲁西西对面的沙发里，零食大军将从鲁西西面前浩浩荡荡地通过。

三 鲁西西检阅零食大军

零食国王拿起沙发扶手上的一个话筒说：“鲁西西零食大军准备——”

“准——备——完——毕——”房

顶上传来声音。

“检阅开——始——”国王宣布。

鲁西西左边的一扇门打开了，只见一队排列得整整齐齐的花生壳方阵雄赳赳气昂昂地走了进来。方阵前边打着一面旗子，旗子上边写着“鲁西西”三个字。

鲁西西想起了检阅注意事项，她立正站好，举起右手。

花生壳大军迈着整齐的步伐，接受鲁西西的检阅。它们都

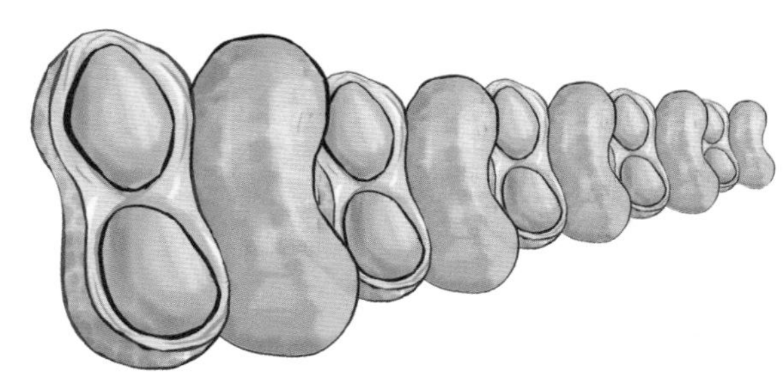

shì lǔ xī xī chī huā shēng shí bāo xià lái de
是鲁西西吃花生时剥下来的。

zhēn duō yī yǎn wàng bù dào tóu
真多，一眼望不到头。

gēn zài huā shēng ké dà jūn hòu miàn de shì xuě gāo
跟在花生壳大军后面的是雪糕
de gùnr yǒu de gùnr shàng bian hái tiǎo zhe táng zhǐ
的棍儿，有的棍儿上边还挑着糖纸，
huā huā lǜ lǜ tǐng hǎo kàn
花花绿绿，挺好看。

líng shí guó wáng hé tuán tuán dōu rěn bù zhù xiào le
零食国王和团团都忍不住笑了。

鲁西西可笑不出来，她的胳膊发酸，渐渐支持不住了。

“怎么还不完呀？”鲁西西望不到零食大军的尽头。

鲁西西忍不住了，把手放了下来。

手刚一放下来，鲁西西的肚子就疼起来，和她从前吃多了零食肚子疼一模一样。

鲁西西赶紧又把手举起来。

跟在雪糕棍儿后面的是瓜子皮仪

仗队，跟在瓜子皮仪仗队后面的是话梅核大军，跟在话梅核大军后面的是橄榄核……

零食国王笑得前仰后合，他就爱看零食大军接受主人的检阅。

鲁西西的腿站不住了，可她不敢动，再动两次，就会永远不长个儿了。鲁西西想起妈妈说过，光吃零食不吃饭，营养不够，就不长个儿。

看到鲁西西的难受样儿，团团真后悔把她带到零食国王家里来。团团不知道鲁西西吃过这么多零食。

零食大军浩浩荡荡地行进着，现在通过检阅台的是橘子皮和香蕉皮混合队伍，它们唱起了自己的进行曲：

我们是零食大军，
我们是零食大军，
和我们交上朋友真叫开心。
随叫随到，
我们时刻跟着您！
吃饭没意思，
我们和您最亲。
请把您的胃，
全部交给我们！

鲁西西脸上的汗珠子噼里啪啦往下掉，举起的右手直发抖。

“让她歇会儿吧！”团团实在不忍心了，对零食国王说。

零食国王也没想到鲁西西吃了这么多零食，现在还望不到头呢！

“好吧，那就分几次检阅吧！”零食国王对着话筒说，“第一次检阅到此结束，未接受检阅的零食不要闹情绪，五分钟后继续检阅。”

鲁西西一屁股坐到地上，团团跑过去给她擦汗。

“你可真能吃零食。要知道你爱吃零食，我就不带你到这儿来玩了。”

“咱们走吧，一会儿还得检阅呢！”鲁西西害怕了。她有点儿对团团

bù mǎn yì gàn má dài wǒ dào zhè ge dì fang lái lǔ
不满意，干吗带我到这个地方来？鲁
xī xī huái yí tuán tuán shì gù yì chū tā de yáng xiàng
西西怀疑团团是故意出她的洋相。

xiǎo cǎo li chuán chū de shén mì shēng yīn
Ⓕ 小草里传出的神秘声音

chèn líng shí guó wáng bù zhù yì de shí hou tuán tuán lā zhe lǔ xī xī pǎo le chū qù
趁零食国王不注意的时候，团团拉着鲁西西跑了出去。

lǔ xī xī bié zǒu ya hái yǒu nà me duō líng shí dà jūn děng hòu nǐ jiǎn yuè
“鲁西西，别走呀，还有那么多零食大军等候你检阅

呢！”零食国王在后面大声喊。

鲁西西连头都不敢回。

“别怕，他不会来抓你的。”团团跑不动了，喘着气对鲁西西说。

“你当然不怕，要是让你举着手站上半个小时，你就怕了！”

鲁西西越想越生气，认定是团团存心捉弄她。鲁西西不理团团，继续往前跑。团团是个实心眼儿，她还以为鲁西西是让零食国王吓的呢！其实，是鲁西西对她不满了。

“鲁西西，我实在跑不动了，歇会儿吧！”团团一屁股坐在地上，掏出手绢擦汗。

“我站了半天还没说累，她坐在沙发里倒挺累！”鲁西西看了团团一眼，心说。鲁西西有点儿小心眼儿，鸡毛蒜皮的小事都爱往心里去。

“不行，我得接着跑，谁让她捉弄我的！”鲁西西想。

鲁西西拔腿又跑起来。其实她也

跑不动了，可不知怎么搞的，一赌气，劲儿倒大了。

“鲁西西，别跑啦！零食国王不会再让你检阅了！”团团大声喊。

鲁西西不理她，一头钻进了路旁的灌木丛……

鲁西西也不知道跑了多远。她实在跑不动了，才躺在草地上。

“零食国王怎么会掌握那么多爱吃零食的人的名单？看样子，所有爱吃零食的人都在上面。”鲁西西顺手揪了身边一根小草，一边想一边把草含在嘴里，她的嘴不能闲着，没零食也没关系，只要嚼着点儿东西就行。

“这个团团真不够朋友。”鲁西西一边嚼着小草一边想，“一定是她平时看见我爱吃零食，有意哄我进来受‘教育’，既然吃零食不好，干吗还有那么多人吃！”

鲁西西实在不服气。不过她觉得，以后还是少吃为妙，肚子疼倒是小事，如果个子真的长不高，那可不是闹着玩的。

就在这时，鲁西西发现嘴里含的小草好像发出了一种声音。

她从嘴里抽出小草，放到耳朵上，果然小草里传出一个声音，好像是在发布命令：“各舰注意！各舰注意！阔阔舰长命令，下一个航行目标——鲁西西！方位——东南，距离——五百六十二米。”

鲁西西张大了嘴，半天说不出话来。

她又拔了一根小草放在耳朵上，还是同样的声音。

“航行目标？”鲁西西弄不懂。

gè jiàn zhù yì lǔ xī xī nà mèn le
“各舰注意？”鲁西西纳闷了。

zhè dì fang zhēn guài shén me shì dōu ràng rén zuó mo bù tòu
这地方真怪，什么事都让人琢磨不透。

huì zǒu lù de yú gěi lǔ xī xī yī gēn zhú qiān
G 会走路的鱼给鲁西西一根竹签

zhèng dāng lǔ xī xī bù zhī zěn me bàn hǎo de shí hou tā tīng jiàn yǒu jiǎo bù shēng cháo zhè biān zǒu lái
正当鲁西西不知怎么办好的时候，她听见有脚步声朝这边走来。

lǔ xī xī zuò qǐ lái yī kàn shì yī tiáo zǒu zài lù shang de yú
鲁西西坐起来一看，是一条走在路上的鱼。

nǐ hǎo yú kàn jiàn le lǔ xī xī yǒu lǐ mào de shuō
“你好！”鱼看见了鲁西西，有礼貌地说。

nǐ hǎo lǔ xī xī jiē jiē bā bā de
“你好……”鲁西西结结巴巴地

shuō tā duì yú bù zài shuǐ li yóu ér zài lù shang
说。她对鱼不在水里游而在路上
zǒu hái bù dà xí guàn
走还不大习惯。

nǐ gàn má yī gè rén zài zhèr yú wèn
“你干吗一个人在这儿？”鱼问
lǔ xī xī duō mèn de huang
鲁西西，“多闷得慌。”

hái méi jué de mèn lǔ xī xī hū rán xiǎng qǐ
“还没觉得闷。”鲁西西忽然想起
le xiǎo cǎo shuō de huà nǐ zhī dào
了小草说的话，“你知道
kuò kuò jiàn zhǎng shì shéi ma
阔阔舰长是谁吗？”

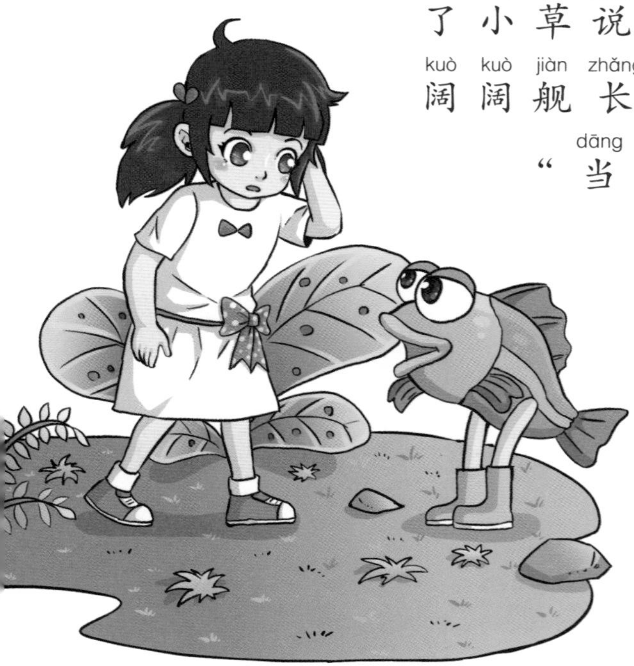

dāng rán zhī dào yú xiào
“当然知道！”鱼笑
qǐ lái kuò kuò
起来，“阔阔
jiàn zhǎng shì wǒ de
舰长是我的
lǎo péng you nǐ rèn
老朋友，你认
shi tā
识他？”

lǔ xī xī yáo
鲁西西摇
yáo tóu
摇头。

“听说过？”鱼问。

“从这里听说的。”鲁西西拿起那根小草给鱼看。

“噢，他们舰队利用小草当无线电天线，这还是个秘密呢！”鱼告诉鲁西西。

“阔阔舰长说，我是他们舰队的航行目标。我这儿又没水，怎么开船？”鲁西西问。

“什么？你是目标？你没听错？”鱼吃惊地问。

“那还能听错！”鲁西西发现鱼的神色不大对，“怎么啦？”

鱼刚想说，又止住了，他从兜里

掏出一根竹签，递给鲁西西。

“你沿着这条路往西北方向走，就能看到一个港口，那儿停泊着许多舰船，你赶快找到阔阔舰长，把这根竹签给他看，再告诉他你就是鲁西西，别让他的舰队拿你当目标航行。快走吧！”

鲁西西接过竹签，心想：“这简直像童话里发生的事了。”

“快去吧！如果舰队已经起锚，你可要受点罪了。”鱼催促鲁西西。

一听说受罪，鲁西西害怕了。她谢过了会走路的鱼，去找阔阔舰长。

阔阔舰长和他的舰队

鲁西西顺着小路朝西北方向跑去，路两旁都是灌木丛。要在以前，她绝对不敢一个人走这样的路，可现在，她忘记了害怕。

绕过一个小山坡，鲁西西眼前是一座港口，港口里整齐地停泊着一排舰船。

鲁西西看见几艘舰正在起锚，

她一口气冲过去，不由分说，踏上了一艘乳白色的大舰。她刚在舰上站稳，船就起锚了，踏板也抽回来了。

“你干什么？”一个水手跑过来问鲁西西。

鲁西西一看，是个和她差不多大的男孩子。

“我找阔阔舰长。”

鲁西西甩了一下头发，心想：“我当是什么舰队，原来是一帮男孩子当水手！”

鲁西西平时最不爱理瞧不起女孩子的男孩子，她觉得凡是摆出男孩子臭架子的人，都是装蒜！其实，这些

nán hái zi zuì xǐ huan hé nǚ hái zi wán
男孩子最喜欢和女孩子玩。

lǔ xī xī niǔ tóu jiù zǒu tā zhī dào zhè zhǒng nán hái zi nǐ yuè lǐ tā tā yuè lái jìnr
鲁西西扭头就走，她知道，这种男孩子，你越理他，他越来劲儿。

wǒ dài nǐ qù wǒ dài nǐ qù shuǐ shǒu zhuī shàng lái wǎng yòu guǎi jìn nà ge xiǎo mén zài wǎng yòu guǎi shàng lóu tī
“我带你去，我带你去。”水手追上来，“往右拐，进那个小门，再往右拐，上楼梯……”

shuǐ shǒu lǐng zhe lǔ xī xī lái dào le jiàn zhǎng zhǐ huī shì
水手领着鲁西西来到了舰长指挥室。

shuǐ shǒu àn le yī xià diàn líng
水手按了一下电铃。

lǔ xī xī wú yì shí de mō le yī xià qiáng bì tā jīng yà de fā xiàn qiáng bì shì yǒu tán xìng de
鲁西西无意识地摸了一下墙壁，她惊讶地发现墙壁是有弹性的。

mén dǎ kāi le lǐ miàn zhàn zhe yī gè pàng pàng de lǎo tóu tā shǒu li ná zhe yī zhāng háng xíng tú
门打开了，里面站着一个胖胖的老头。他手里拿着一张航行图。

bào gào jiàn zhǎng zhè wèi xiǎo nǚ hái zhǎo nín
“报告舰长，这位小女孩找您。”

水手指指鲁西西说。

“进来吧。”阔阔舰长慈祥地冲鲁西西笑笑，鲁西西觉得阔阔舰长身上有一种说不出来的东西，反正站在他身边就觉得温暖，给人一种舒服和踏实的感觉。

水手带上门走了。

阔阔舰长的房间很怪，墙上除

了挂着各种奇形怪状的望远镜外，还有各种各样鲁西西从未见过的照片。有的照片上是一望无际的大海，有的照片上布满了礁石，还有……

“你找我？”阔阔舰长和蔼地问。

“嗯，”鲁西西点点头，“我叫鲁西西。”

“什么什么？你是鲁西西？”阔阔舰长瞪大了眼睛，他不相信自己的耳朵。

只见他急忙铺开手中的航行图，航行图上清楚地标着“航行目标 1——鲁西西”。

“你真叫鲁西西？”阔阔舰长弄

不清是怎么回事了。

“当然。”鲁西西说。她长这么大，还从没人怀疑她是不是真叫鲁西西呢！

“我们现在正要到你那儿去航行，你却在我们舰上！”阔阔舰长还是头一次遇到这种情况。

“到我这儿航行？我又不是海！”鲁西西说。

kuò kuò jiàn zhǎng gù bù shàng lǐ lǔ xī xī tā
阔阔舰长顾不上理鲁西西，他
ná qǐ guà zài qiáng shang de yī zhī cǎo biān de huà tǒng dà
拿起挂在墙上的一只草编的话筒大
shēng shuō gè jiàn zhù yì gè jiàn zhù yì tíng zhǐ háng
声说："各舰注意！各舰注意！停止航
xíng yuán dì dài mìng
行，原地待命。"

lǔ xī xī nòng bù qīng tā men zài gǎo shén me
鲁西西弄不清他们在搞什么
míng tang
名堂。

zhú qiān bāng le lǔ xī xī de dà máng
❶ 竹签帮了鲁西西的大忙

kuò kuò jiàn zhǎng de jiàn duì zhōng zhǐ le háng
阔阔舰长的舰队中止了航
xíng yīn wèi jiàn duì de háng xíng mù biāo jiù zài jiàn duì
行。因为舰队的航行目标就在舰队
de qí jiàn shang
的旗舰上！

kuò kuò jiàn zhǎng gǎn jué dào wèn tí hěn yán zhòng
阔阔舰长感觉到问题很严重。

要知道，他的舰队的使命是绝密的，很少有人知道他的舰队为什么存在。

“你知道我们舰队要去哪儿吗？”阔阔舰长问鲁西西。

“去我那儿。”鲁西西撇了一下嘴。

“你怎么知道？”阔阔舰长睁大了眼睛。

“从小草那儿听来的呗！”鲁西西有点儿得意。

“那你怎么知道到我的舰队上来？”

鲁西西想起了会走路的鱼给她的竹签。她从兜里掏出竹签，递给阔阔舰长。

“我碰见一条会走路的鱼，是他告诉我的。他还让我把这支竹签给您。”

阔阔舰长接过竹签一看，笑了。

“这老弟，净给我找麻烦。”阔阔舰长笑着说，“原来你是从外边来的。”

“那条会走路的鱼是你弟弟？”鲁西西差点儿笑出声来。

“是我的老朋友。”阔阔舰长一边说一边把竹签收起来，“好吧，看在老朋友的面上，先不去你心里航行了。”

“去我心里航行？”鲁西西不相信自己的耳朵。

“反正你早晚也会知道，我告诉你吧！”阔阔舰长往沙发上一坐。

鲁西西坐在他对面的沙发上。

“在你们的世界里，有许多人的心胸非常宽阔，他们的胸怀是一片辽阔的大海，你们那儿有句话，叫作‘宰相肚里能撑船’，对吧？”阔阔舰长说。

鲁西西点点头，她学过这句谚语。鲁西西似乎有点儿明白阔阔舰长的舰队在哪儿航行了。

“可有不少人，心胸非常狭窄。

换句话说，就是小心眼儿。”阔阔舰长看了鲁西西一眼。

鲁西西脸红了，但她心想，小心眼儿有什么关系？

阔阔舰长好像看出了鲁西西在想什么。

“旁观者清啊！咱们两个世界是邻居，我们生活在你们那儿所有的家庭里。我们觉得心胸狭窄的人不好，他们不能给周围的人带来幸福和欢乐，反而因为他们的存在，使大家不得安宁。再说，干吗不愉愉快快地生活，而整天自己和自己过不去呢？”

听阔阔舰长这么一说，鲁西西觉

得挺有道理。

“那你们舰队？”鲁西西问。

“我的舰队就是专为你们那儿那些心胸狭窄的人组建的。”一说到自己的舰队，阔阔舰长满脸生光，“我不忍心看着他们这样折磨自己。”

“你有什么办法？”鲁西西觉得阔阔舰长心眼儿不错。

“我的舰队开到那些小心眼儿的人的心胸里去，帮他们把心胸弄开阔些，起码装得下我的整个舰队！当然，他们要受点苦，可能挺疼，但以后他们就会成为一个心胸开阔的人，每天生活在欢乐之中。”阔阔舰长兴

fèn de huī wǔ le yī xià shǒu bì
奋得挥舞了一下手臂。

nǐ zěn me zhī dào shéi shì xiǎo xīn yǎnr ne
“你怎么知道谁是小心眼儿呢？”

lǔ xī xī xiǎng zhī dào kuò kuò jiàn zhǎng zěn me zhī dào tā
鲁西西想知道阔阔舰长怎么知道她
shì xiǎo xīn yǎnr de
是小心眼儿的。

xiǎo xīn yǎnr de rén
“小心眼儿的人
shēn tǐ li jīng cháng huì fā chū
身体里经常会发出
yī zhǒng diàn bō zhè zhǒng diàn
一种电波，这种电
bō néng gān rǎo bié rén de shēng
波能干扰别人的生
huó wǒ men zhuā zhù zhè ge tè
活。我们抓住这个特
diǎn lì yòng wǒ men de tiān xiàn
点，利用我们的天线
suǒ yǒu de xiǎo cǎo jiē
——所有的小草，接
shōu zhè zhǒng diàn bō rán hòu zài
收这种电波，然后再
què dìng wǒ men de háng xíng
确定我们的航行
mù biāo kuò kuò jiàn zhǎng
目标。”阔阔舰长

笑笑，“你身上的电波就被我们接收到了。”

鲁西西想起刚才她和团团耍小心眼儿，不好意思了。

“他们舰队这么大，怎么开进人的心眼儿里去呢？他们怎样开阔人家的心胸呢？”鲁西西想，她对这里的一切都感到好奇。

“我能跟你们一起航行吗？”鲁西西想跟阔阔舰长的舰队航行一次，看看心胸狭窄的人心里究竟是什么样儿。

阔阔舰长想了一下，同意了。

“你就跟着我吧，这个房间归你

zhù kuò kuò jiàn zhǎng zhǐ zhǐ páng biān de yī shàn xiǎo mén
住。”阔阔舰长指指旁边的一扇小门。

lǔ xī xī kāi shǐ yuǎn háng
J 鲁西西开始远航

lǔ xī xī de fáng jiān fēi cháng piào liang róu ruǎn de
鲁西西的房间非常漂亮，柔软的
chuáng bié zhì de chuáng tóu guì hái yǒu měi lì de dì
床，别致的床头柜，还有美丽的地
tǎn lǔ xī xī fā xiàn suǒ yǒu de dōng xi dōu shì yǒu
毯。鲁西西发现，所有的东西都是有
tán xìng de
弹性的。

gè jiàn zhù yì gè jiàn zhù yì wài jiān chuán
“各舰注意！各舰注意！”外间传
lái kuò kuò jiàn zhǎng de shēng yīn
来阔阔舰长的声音。

lǔ xī xī pǎo chū lái kàn kuò kuò jiàn zhǎng zhǐ huī
鲁西西跑出来看阔阔舰长指挥。
tā méi xiǎng dào zì jǐ hái néng hé yī gè jiàn duì chū qù
她没想到自己还能和一个舰队出去
yuǎn háng ér qiě shì dào rén de xīn xiōng li qù yuǎn háng
远航，而且是到人的心胸里去远航。

“取消1号航行目标。取消1号航行目标。向2号航行目标全速前进！”阔阔舰长有力地发布命令。

通过舷窗，鲁西西看见许多舰船跟在阔阔舰长的旗舰后边，飞快地行驶着，船尾翻起洁白的浪花。

阔阔舰长埋头看航行图。

鲁西西凑过去一看，惊讶得叫出声来。

2号航行目标是她的同班同学孔莉莉！

“怎么啦？”阔阔舰长问。

“这是我的同学。”鲁西西指着航行目标图上孔莉莉的名字说。

“她是个小心眼儿吧？”阔阔舰长笑着说，“我的舰队优先帮助孩子开阔心胸，因为人的童年最幸福，要是在童年时期整天耍小心眼儿，真是亏透了。”

鲁西西早就知道孔莉莉是班上有名的小心眼儿。别人无意说的一句话，她能牢牢记上一个月，总以为人家是在说她，变着法儿地报复人家。

鲁西西有点儿替孔莉莉担心，这么庞大的舰队开进去，一定很疼。

“接近目标，准备——”阔阔舰长趴在巨大的望远镜上指挥。

旁边有一台小一点儿的望远镜，鲁西西凑过去一看，真是同班同学孔莉莉！

“收缩舰体——”阔阔

舰长大声命令。

话音刚落，鲁西西觉得船身一震，发出一声挺怪的响声，整个舰队都变小了，连鲁西西也变小了！不过，由于四周的东西也都变小了，所以鲁西西没有觉得不适应。鲁西西现在明白船身为什么有弹性了。

“真像童话里发生的事！”鲁西西兴奋地想。

忽然，鲁西西觉得船身飞了起来，紧接着，窗外一片黑暗。

Ⓚ 礁石是由什么组成的

“报告舰长，本舰已进入2号目标水域！”

鲁西西听出，这是那个领她来的水手的声音。

“报告舰长，挖掘舰顺利进入2号目标水域！”

“报告舰长，排礁舰进不去！2号目标水域狭窄！”

“报告舰长，破冰舰进不去！”

“报告舰长，抢救舰进不去！”

“报告……”

“报告……”

阔阔舰长皱起眉头："这个孔莉莉，心眼儿真小！"

"挖掘舰和旗舰开始战斗，其他舰船在外围水域待命！"

"明白——"

"明白——"

鲁西西趴在望远镜上一看，由于孔莉莉心胸太窄，旗舰勉勉强强驶了进来，但被卡在两块礁石的中间，动不了窝。

"挖掘舰准备战斗！挖掘舰准备战斗！"阔阔舰长下令。

"挖掘舰明白！"

"先进攻旗舰右边那块礁石！"阔

kuò jiàn zhǎng tōng guò wàng yuǎn jìng yī biān guān chá yī biān xià mìng lìng
阔舰长通过望远镜一边观察一边下命令。

gěi nǐ zhè ge wàng yuǎn jìng yòng kuò kuò jiàn zhǎng cóng qiáng shang zhāi xià lái yī gè yàng zi tǐng guài de wàng yuǎn jìng shàng bian hái dài yǒu yī fù ěr jī
“给你这个望远镜用。”阔阔舰长从墙上摘下来一个样子挺怪的望远镜，上边还带有一副耳机。

lǔ xī xī dài shàng ěr jī jǔ qǐ wàng yuǎn jìng
鲁西西戴上耳机，举起望远镜。

wàng yuǎn jìng li de jǐng xiàng shǐ lǔ xī xī dà chī yī jīng nà kuài jù dà de jiāo shí yuán lái shì yóu gè zhǒng jī máo suàn pí de xiǎo shì níng gù chéng de
望远镜里的景象使鲁西西大吃一惊，那块巨大的礁石原来是由各种鸡毛蒜皮的小事凝固成的。

kuò kuò jiàn zhǎng àn le yī xià lǔ xī xī shǒu shang de wàng yuǎn jìng shang de yī gè àn niǔ jìng tóu li chū xiàn le zhè yàng de chǎng miàn
阔阔舰长按了一下鲁西西手上的望远镜上的一个按钮，镜头里出现了这样的场面：

放学路上，两个女同学在前面走，孔莉莉在后面走。前面的两位女同学一边走一边说话，其中一位女同学无意地看了孔莉莉一眼。“她们肯定在说我的坏话！”孔莉莉想，“她俩说我什么呢？说我的衣服难看？说我只考了七十五分？”

鲁西西通过耳机清清楚楚地听到孔莉莉在心里说的话。

孔莉莉一晚上都没睡好觉，这件事在她心里扎了根。

鲁西西再按一下望远镜上的按钮，又一个镜头出现了：

孔莉莉趴在一位女同学耳朵边小

声说："咱们不跟张燕玩了，瞧她那副神气样儿，哼，我最看不上她！"

张燕就是上次走在孔莉莉前面的两位女同学之一。

"鲁西西，"阔阔舰长边观察边说，"你看，你们的世界多美，有高山、大河、蓝天、白云。每个人都应该

为这个世界增添点儿光彩才对。因为有了你，周围的人感到愉快，这多好！你能给周围的人带来欢乐，使别人忘掉痛苦，这就是为世界增添光彩。你看孔莉莉，总是给别人带来不快，就像污染环境一样，不好。”

鲁西西觉得阔阔舰长说得对。她想起自己也是小心眼儿，脸红了。鲁西西决定当一个心胸宽阔的人，当一个能为世界增添光彩的人。

通过望远镜，鲁西西又看到孔莉莉心里许许多多不值得装的小事。这些事凝固成礁石，把孔莉莉的心越堵越窄……

L 一场激战

阔阔舰长所在的旗舰被两块大礁石夹在中间动不了，挖掘舰向旗舰右边的大礁石冲过去。

只见挖掘舰船头伸出一只钢铲，使劲儿朝大礁石铲去。

砰的一声，礁石上冒出许多火星。

“真硬！”鲁西西不禁倒吸了一口凉气。

“把这些根本不值得装在心里的小事装得这么牢，真要命！”阔阔舰长一挥手，“换爆破舰！”

挖掘舰退了出来。爆破舰开了

过去。

鲁西西担心地问："会把孔莉莉炸坏吗？"

阔阔舰长笑了："哪儿能炸坏呀！不过心里也会觉得难受。你想，一个小心眼儿变成心胸宽阔的人，总得经历一番……"

阔阔舰长的话还没说完，只听轰的一声巨响，右边那块礁石被炸碎了。紧接着，鲁西西觉得船动了。

就在这时，鲁西西自己心里也咯噔一下，好像有什么东西破裂了。顿时，她觉得心胸开朗多了。

旗舰前进！

阔阔舰长兴奋地对着话筒指挥：“卫生舰迅速清理碎礁石！爆破舰继续爆破！其他舰船迅速向我靠拢！”

旗舰的前方又出现了许许多多礁石，还有淤泥什么的。

整支舰队都开进了孔莉莉的心胸里，爆破的爆破，挖掘的挖掘，清理的清理，简直像一场大海战。

阔阔舰长带鲁西西来到甲板上，孔莉莉的心胸变了样儿，刚才还是狭窄的小心眼儿，现在变成了一片辽阔的海洋，宽广得一眼望不到边。

一阵阵清爽的海风吹拂着鲁西西的头发，几只漂亮的海鸥擦着水面飞翔……

阔阔舰长看出鲁西西好像有什么要求。

“让你的舰队也到我这儿，”鲁西西指指自己胸口，“航行一次吧。”

“不用啦，哈哈，”阔阔舰长笑的声音很洪亮，“你已经是一个心胸宽阔的人了！”

“可你的舰队没来过呀！”

“有不少人能自己把自己的胸怀变得宽阔起来，他们能把自己心中的礁石炸掉。当然，这种人本身是很聪

明的，你就是聪明人。”

鲁西西相信阔阔舰长的话，因为她刚才已经感觉到，自己的心里发生了变化。

M 想不开的大姐姐

鲁西西猛然想起了团团。

“团团怎么会故意把我带到零食国王家里去出洋相呢？是我错怪团团了！”鲁西西急得眼泪都流出来了，“该死的小心眼儿！”

“怎么啦？”阔阔舰长看见鲁西

西哭了，问。

“你能马上送我回去吗？”鲁西西把她和团团的误会告诉了阔阔舰长。

“嗯，应该送你回去。”阔阔舰长点点头。

鲁西西带着眼泪笑了。

正在这时，响起了警报。

一名水手气喘吁吁地跑过来。

“怎么回事？”阔阔舰长问。

“有紧急情况。3号目标出现紧急情况！”

阔阔舰长赶忙朝指挥室跑去，鲁西西跟在后面。

航行图上标明，3号目标是个女学生，今年高中毕业。

“刚接收到的电波，”那个水手递给阔阔舰长一张纸，“她没考上大学，想不开了，要寻短见。”

“啊？”阔阔舰长急了，“舰队注意！舰队注意！迅速撤离2号目标。向3号目标全速前进！”

鲁西西也为那位大姐姐担心，一个劲儿地催阔阔舰长再快一点儿。

阔阔舰长的舰队飞一样地向3号目标驶去……

“考不上大学，干吗就不活了？”鲁西西不明白。

“想不开呗，太爱面子，还有父母的压力。”阔阔舰长叹了口气。

阔阔舰长的舰队驶进了 3 号目标水域，整个舰队一进去就全都搁浅了，一动也不能动。

“报告舰长，水位太低，舰队搁浅。”

“报告舰长，水被堵住了，流不过来。”

鲁西西从望远镜里看见，一条长长的大坝拦住了海水，海水流不过来。

鲁西西换上那个奇特的望远镜，戴上耳机。

原来，那条大坝是这位大姐姐自己筑在心里的，什么“人家该笑话啦”，“今后没脸见人啦”，“别人都考上大学啦”等，自己把自己的心给堵死了。

“各舰炮手准备，目标——大坝，开炮！”阔阔舰长斩钉截铁地下命令。

几十门大炮同时开火了。鲁西西最怕放鞭炮，为这个，皮皮鲁净笑话她。这次，鲁西西倒不觉得害怕。

大坝被炮火轰塌了。

海水呼啸着奔腾而来，舰队又航行在辽阔的海洋里。

“大姐姐想开喽！大姐姐想开喽！”鲁西西在甲板上跳着喊。

N 找不到团团了

阔阔舰长决定派一艘汽艇送鲁西西回去，舰队还要继续航行。

鲁西西恋恋不舍地告别了阔阔舰长和他的舰队，登上了小汽艇。

和阔阔舰长相处时间虽然不长，却使鲁西西大开了眼界，经历了一次一般人连想都想不到的奇遇，还懂得了不少道理。

一转眼，汽艇就开到了舰队出发的港口，鲁西西没等船停稳，就跳上岸，她急于找到团团。

穿过灌木丛，鲁西西来到她和团团分手的地方，可是哪里还有团团的影子！

“团团——”鲁西西大声喊着。

没人答应。

鲁西西边找边喊，她又看见了零食国王的小屋子，鲁西西不敢过去，远远地看了会儿。

“糟了！”鲁西西忽然想起，找不到团团，她就出不去了。也就是说，她回不了自己的家了。

鲁西西急了，她想哭，可又一想，还是节约点儿时间先找团团吧，找不到再哭也来得及。

鲁西西现在想皮皮鲁了，要是哥哥在，准能想办法出去，他的主意多。

hái bù kuài zǒu qù wǎn le jiù bào bù shàng míng
“还不快走，去晚了就报不上名

le lǔ xī xī shēn hòu chuán lái le yī gè shēng yīn
了。”鲁西西身后传来了一个声音。

lǔ xī xī huí tóu yī kàn liǎng gè nǚ hái zi fēi kuài de
鲁西西回头一看，两个女孩子飞快地

zǒu guò lái
走过来。

nǐ men rèn shi tuán tuán ma lǔ xī xī
“你们认识团团吗？”鲁西西

máng wèn tā xiàng pèng jiàn le jiù xīng
忙问，她像碰见了救星。

liǎng gè nǚ hái yáo yáo tóu
两个女孩摇摇头。

nǐ men qù gàn má lǔ xī xī
“你们去干吗？”鲁西西

hào qí de wèn tā fā xiàn tā liǎ yī dìng yǒu
好奇地问，她发现她俩一定有

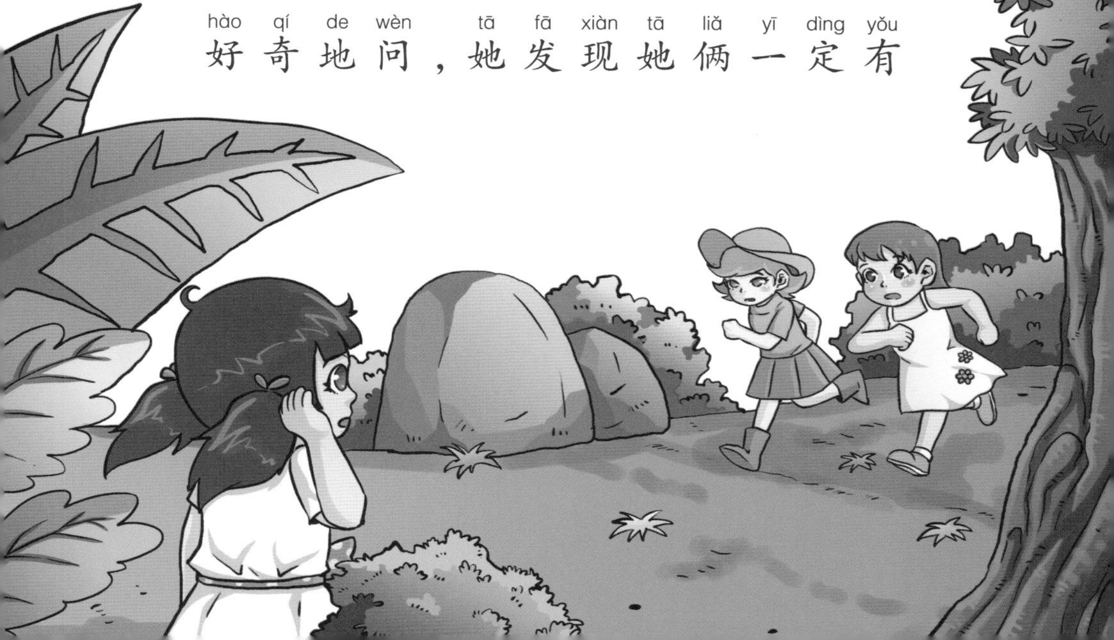

急事。

“报名考大学。”其中一位回答。

“这么小就上大学？”鲁西西不信。这两个女孩子和她差不多大。

“年龄不限，只要符合条件就能上。”一个女孩子说。

“你不去报名？”另一个女孩问。

“什么大学？”

“唧唧唧大学。”

“鸡鸡鸡大学？”鲁西西还从来没听说过，“是养鸡的大学吧？”

“不是鸡鸡鸡大学，是唧唧唧大学。”

“机机机大学？”这名字鲁西西也没听见过，“是飞机，还是拖拉机？”

“哎，唧唧唧大学！”一个女孩子在地上用石子写了“唧唧唧”三个字。

“这是什么大学？真逗！”鲁西西觉得挺好玩。

“来不及说了，去晚了就报不上名了。”两个女孩子拉着手跑了。

好奇心逼着鲁西西非去看看这所唧唧唧大学不可，说不定团团会在那儿。

鲁西西跟在两个女孩子后面跑。

qí guài de dà xué
◎ 奇怪的大学

pǎo le méi duō yuǎn lǔ xī xī kàn jiàn qián miàn yǒu
跑了没多远，鲁西西看见前面有
yī zuò chéng shì chéng shì li de fáng zi hěn guài yǒu de
一座城市。城市里的房子很怪，有的
fáng zi diào zài shù shang yǒu de lóu fáng yǒu èr céng sān céng
房子吊在树上，有的楼房有二层三层
sì céng jiù shì méi yǒu yī céng hái yǒu de fáng zi pào zài
四层就是没有一层，还有的房子泡在
shuǐ li xiàng chuán yī yàng
水里，像船一样。

qián miàn de liǎng gè nǚ hái zi pǎo jìn yī zuò dà
前面的两个女孩子跑进一座大
lóu lǔ xī xī gēn zhe pǎo guò qù yī kàn mén shang xuán
楼，鲁西西跟着跑过去一看，门上悬
guà zhe yī gè dà pái zi jī jī jī dà xué
挂着一个大牌子：唧唧唧大学。

lǔ xī xī zǒu jìn qù yòu bian de yī gè fáng jiān
鲁西西走进去，右边的一个房间
mén shang xiě zhe jī jī jī dà xué bào míng kǎo shì chù
门上写着：唧唧唧大学报名考试处。

liǎng gè nǚ hái zi tuī mén jìn qù le dào zhè suǒ
两个女孩子推门进去了。到这所
dà xué bào míng de rén bù tài duō
大学报名的人不太多。

“请您报个名吧！”一个胸前别着“唧唧唧大学”校徽的人对鲁西西说。

“我们这所大学是第一流的高等学府，培养的人才遍布全世界！”又一个戴校徽的人说。

鲁西西发现，这两位唧唧唧大学的工作人员，眼珠都是红颜色的。

鲁西西还没来得及问唧唧唧大学是学什么的，就被两位工作人员推进了考试报名处。

房间里有小孩，也有大人。他们正在接受考试。

红眼珠的工作人员给鲁西西报了名。鲁西西等待入学考试。

现在，鲁西西在路上碰到的那两个女孩子中的一个正在考试。

qǐng àn zhào zhè ge tí mù xiě piān zuò wén kǎo
“请按照这个题目写篇作文。”考
guān dì gěi nà ge nǚ hái zi yī zhāng zhǐ kǎo guān yě shì
官递给那个女孩子一张纸，考官也是
hóng yǎn zhū
红眼珠！

zuò wén tí mù shì tā men bǐ wǒ qiáng zěn
作文题目是：“他们比我强怎
me bàn
么办？”

zhǐ yòng le yī fēn zhōng nǚ hái zi jiù xiě wán le
只用了一分钟，女孩子就写完了。

zhēn kuài lǔ xī xī xiàn mù de kàn zhe nà ge
“真快！”鲁西西羡慕地看着那个
nǚ hái zi lǔ xī xī zuì pà xiě zuò wén
女孩子。鲁西西最怕写作文。

kǎo guān yī biān kàn zuò wén yī biān diǎn tóu lián shēng
考官一边看作文一边点头，连声
chēng zàn hǎo hǎo hǎo zhēn shì yī piān nán
称赞：“好！好！！好！！！真是一篇难
dé de jiā zuò dà shǒu bǐ qǐng dà jiā kàn kàn qǐng dà
得的佳作。大手笔！请大家看看，请大
jiā kàn kàn
家看看。”

kǎo guān bǎ zuò wén dì dào dà jiā yǎn qián
考官把作文递到大家眼前。

lǔ xī xī yī kàn zuò wén shì zhè yàng xiě de
鲁西西一看，作文是这样写的：

tā men bǐ wǒ qiáng zěn me bàn
他们比我强怎么办？
tā men bǐ wǒ qiáng
他们比我强——
qì sǐ wǒ la
气死我啦！
hèn sǐ wǒ la
恨死我啦！！
jí sǐ wǒ la
急死我啦！！！
tā men bǐ wǒ qiáng
他们比我强——
wǒ bù gàn
我不干！
wǒ bù dā ying
我不答应！！
wǒ wǒ mà tā men
我、我骂他们！！！

zhè jiào shén me zuò wén lǔ xī xī lèng zhù le
“这叫什么作文？！”鲁西西愣住了。

xià miàn kǎo shù xué kǎo guān shuō
“下面考数学。”考官说。

“一个人有五只手，再加五只手，等于几只手？”考官问。

“二十五只手。”女孩子回答。

“很好。”考官满意地点点头，“你有一个爸爸、一个妈妈，你弟弟有一个爸爸、一个妈妈，你们一共有几个爸爸、妈妈？”

“四个爸爸，四个妈妈。”女孩子回答。

“太好了，你被本大学录取了。从现在开始，你就是光荣的唧唧唧大学的学生了。”

kǎo guān dì gěi nǚ hái zi yī zhāng rù xué tōng zhī shū
考官递给女孩子一张入学通知书。

zhè jiào shén me kǎo shì lǔ xī xī xiǎng dà
“这叫什么考试？”鲁西西想大
xiào yī cháng
笑一场。

kǎo shì jì xù jìn xíng zhe yī gè nán hái zi yīn
考试继续进行着。一个男孩子因
wèi shù xué tí dōu dá duì le ér bèi qǔ xiāo le rù xué
为数学题都答对了，而被取消了入学
zī gé
资格。

lǔ xī xī chéng wéi jī jī jī dà xué xué shēng
Ⓟ 鲁西西成为唧唧唧大学学生

lǔ xī xī jué de jī jī jī dà xué lǐ miàn yī dìng
鲁西西觉得唧唧唧大学里面一定
hěn hǎo wán kǎo shì shí tā gù yì dá cuò shù xué tí
很好玩，考试时，她故意答错数学题，
zuò wén yě xiě de yī tuán zāo yú shì tā bèi jī jī
作文也写得一团糟。于是，她被唧唧
jī dà xué lù qǔ le
唧大学录取了。

鲁西西胸前别着“唧唧唧大学”的校徽，走进了大礼堂。学校为新生举行开学典礼。

主席台上坐着一个老太太，她的眼珠最红。

“我给同学们介绍一下，”刚才那个考官说，“这位是本校大名

鼎鼎的嘟嘟嘟校长，欢迎她给我们讲话。”

嘟嘟嘟校长站起来，清了清嗓子，说：“从现在起你们就是唧唧唧大学光荣的大学生了。本校专门招收没有本事的人，有本事的人我们学校一个也不要！我们专门教给你们怎样对付那些有本事的人。谁有本事，我们就恨他，就生气，就眼红，就……”

台下响起了雷鸣一样的掌声。

掌声刚停，一个学生站起来，指着嘟嘟嘟校长就骂：“你为什么能站在台上讲话？你哪点比我强？气死我啦！恨死我啦！！”

nà wèi dà xué shēng qì de hūn le guò qù
那位大学生气得昏了过去。

dū dū dū xiào zhǎng xīn xǐ ruò kuáng dà shēng hǎn
嘟嘟嘟校长欣喜若狂，大声喊
qǐ lái zhè shì gāo cái shēng ya kuài kuài kuài qiǎng
起来：“这是高才生呀，快！快！快抢
jiù tí shēng tā wéi xì zhǔ rèn
救！提升他为系主任！”

xiào zhǎng gāng rù xué jiù dāng xì zhǔ rèn kǎo
“校长，刚入学就当系主任？”考
guān jí dù le
官嫉妒了。

shì rén cái jiù děi pò gé tí bá dū dū
“是人才，就得破格提拔。”嘟嘟
dū xiào zhǎng shuō
嘟校长说。

lǔ xī xī zhè cái míng bai jī jī jī dà xué shì
鲁西西这才明白，唧唧唧大学是
zhuān mén péi yǎng jí dù rén cái de
专门培养嫉妒人才的。

tóng xué men dū dū dū xiào zhǎng yòu hǎn qǐ
“同学们，”嘟嘟嘟校长又喊起
lái quán shì jiè dōu yǒu wǒ men de bì yè shēng zhè
来，“全世界都有我们的毕业生，这
shì wǒ men jī jī jī dà xué de guāng róng hé jiāo ào
是我们唧唧唧大学的光荣和骄傲！”

léi míng bān de zhǎng shēng
雷鸣般的掌声。

喇叭里响起雄壮的《唧唧唧大学校歌》：

谁也不能比我强，
谁也不能活得比我好，
唧唧唧，嘟嘟嘟，
我的眼里容不了，
我的心里容不了。

全体新生——除了鲁西西——都跟着唱起了校歌。鲁西西觉得这所教人嫉妒的大学不好，她决定退学。

鲁西西得到大学毕业证书

“退学？”嘟嘟嘟校长还是头一次遇到这种新鲜事，她疑惑地看看鲁西西。鲁西西点点头。

“不行，只要考入本校，不拿到毕业证书绝不让离校。”嘟嘟嘟校长斩钉截铁地说。

鲁西西傻眼了。

“学习成绩好可以提前毕业嘛！”嘟嘟嘟校长安慰鲁西西。

就这样，鲁西西只好硬着头皮上课。

“今天我们上第一节课：嫉妒的

yōu yuè xìng yī gè shòu gāo gè jiào shòu gěi lǔ xī xī
优越性。”一个瘦高个教授给鲁西西
zhè ge bān shàng kè
这个班上课。

qiáo tā nà dé xing hái jiāo wǒ ne yī gè
“瞧他那德行，还教我呢！”一个
dà xué shēng zhàn qǐ lái zhǐ zhe jiào shòu duì tóng xué men shuō
大学生站起来指着教授对同学们说。

tóng xué men dà xiào qǐ lái
同学们大笑起来。

gāo cái shēng gāo cái shēng jiào shòu dà chī
“高才生！高才生！”教授大吃
yī jīng lián lián chēng zàn tā wàn wàn méi xiǎng dào yī
一惊，连连称赞。他万万没想到，一
jié kè wèi shàng xué shēng jiù yǒu zhè me gāo de shuǐ píng
节课未上，学生就有这么高的水平。

qǐng nǐ gěi dà jiā jiè shào jīng yàn jiào shòu qǐng
“请你给大家介绍经验！”教授请
nà wèi gāo cái shēng shàng jiǎng tái
那位高才生上讲台。

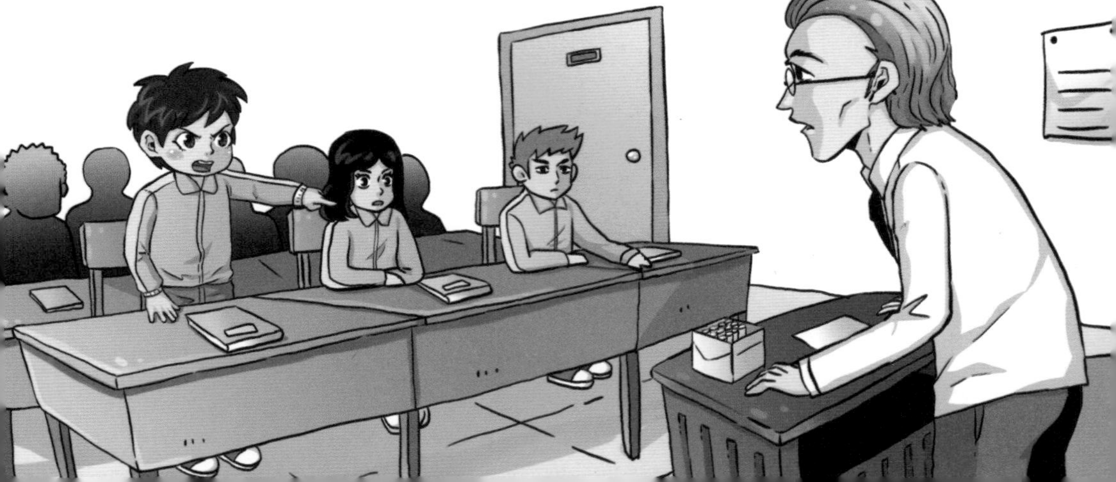

除了鲁西西以外，全班同学都嫉妒得昏死过去。

教授看到他的学生水平都这么高，也嫉妒得一头栽倒了。

鲁西西觉得，这些爱嫉妒人的人都像马戏团的小丑，自己没本事，还不让别人有本事。

“这是怎么回事？”嘟嘟嘟校长看见全班同学加上教授都昏过去了，忙问鲁西西。

鲁西西把经过告诉了校长。

“你为什么不昏过去？”嘟嘟嘟校长奇怪地问。

“我不觉得可气呀！”鲁西西说。

méi jiàn guo nǐ zhè yàng
“没见过你这样
bù qiú shàng jìn de xué shēng
不求上进的学生！”
dū dū dū xiào zhǎng zuì tóu téng
嘟嘟嘟校长最头疼
xiàng lǔ xī xī zhè yàng méi yǒu
像鲁西西这样没有
zì zūn xīn de xué shēng
“自尊心”的学生。

xué xí chéng jì
“学习成绩
bù hǎo nǐ jiù bié xiǎng
不好，你就别想
bì yè dū dū dū xiào
毕业！”嘟嘟嘟校
zhǎng shuō
长说。

yī tīng bù ràng tā bì yè lǔ xī xī xià de hūn
一听不让她毕业，鲁西西吓得昏
le guò qù
了过去。

hǎo xué shēng hǎo xué shēng dū dū dū xiào
“好学生，好学生！”嘟嘟嘟校
zhǎng wèi zì jǐ gāo chāo de jiào yù fāng fǎ gǎn dào zì háo
长为自己高超的教育方法感到自豪。

lǔ xī xī zhè jiè xué shēng jiù yào jìn xíng bì yè
鲁西西这届学生就要进行毕业

kǎo shì le
考试了。

jīng guò jǐ tiān de xué xí, dà xué shēng men de
经过几天的学习，大学生们的
yǎn zhū dōu hóng le, zhǐ yǒu lǔ xī xī de yǎn zhū hái
眼珠都红了，只有鲁西西的眼珠还
shi hēi de
是黑的。

bì yè kǎo shì zuì zhòng yào de yī xiàng, jiù shì jiǎn
毕业考试最重要的一项，就是检
chá yǎn zhū shì bù shì biàn sè le
查眼珠是不是变色了。

zhè kě jí huài le lǔ xī xī, zěn me bàn ne
这可急坏了鲁西西，怎么办呢？
kàn dào bié rén bǐ zì jǐ qiáng, lǔ xī xī cóng lái bù yǎn
看到别人比自己强，鲁西西从来不眼
hóng ya
红呀！

zài shuō, tōng guò hé kuò kuò jiàn zhǎng de jiàn duì háng
再说，通过和阔阔舰长的舰队航
xíng, lǔ xī xī de xīn xiōng biàn de kuān kuò le, ér ài
行，鲁西西的心胸变得宽阔了，而爱
jí dù de rén quán shì xiǎo xīn yǎnr
嫉妒的人全是小心眼儿。

wèi le xiǎng bàn fǎ lí kāi jī jī jī dà xué, lǔ
为了想办法离开唧唧唧大学，鲁
xī xī sān tiān sān yè méi shuì jiào, zhōng yú bǎ yǎn jing áo
西西三天三夜没睡觉，终于把眼睛熬

红了。

总算通过了毕业考试，鲁西西领到了一张唧唧唧大学毕业证书。

嘟嘟嘟校长亲自欢送毕业生，还勉励大家今后要长期坚持自学，争取考入唧唧唧大学研究生院。

一位中年妇女代表全体毕业生感谢唧唧唧校长的栽培，她说：“我们毕业后，要在这座城市里成立自己的协会。为了纪念母校和校长，协会定名为‘唧唧唧嘟嘟嘟协会’。”

嘟嘟嘟校长高兴得打了二十七个喷嚏。

所有教授都嫉妒得昏了过去。

lǔ xī xī yī chū xiào mén jiù bǎ dà xué bì yè
鲁西西一出校门就把大学毕业
zhèng shū sī le
证书撕了。

quán shì gōng mín qiǎng jiù jī jī jī dà xué shēng
Ⓡ 全市公民抢救唧唧唧大学生

dào nǎr qù zhǎo tuán tuán ne lǔ xī xī chū
“到哪儿去找团团呢？”鲁西西出
xiào mén hòu zhàn zài jiē tóu bù zhī gāi wǎng nǎr zǒu
校门后，站在街头不知该往哪儿走。

tā de tóng xué men fēng yōng dào zhè zuò chéng shì de
她的同学们蜂拥到这座城市的
dà jiē xiǎo xiàng bù dào wǔ fēn zhōng zhěng gè chéng shì
大街小巷，不到五分钟，整个城市
jiù xiān qǐ le yī cháng jí dù de fēng bào
就掀起了一场嫉妒的风暴——

yǒu de jī jī jī dà xué shēng kàn dào bié rén bǐ
有的唧唧唧大学生看到别人比
zì jǐ chuān de hǎo qì de yī tóu zhuàng zài qiáng shang
自己穿得好，气得一头撞在墙上，
tóu pò xuè liú
头破血流。

有的唧唧唧大学生看见别人买东西，难过得直抽筋。

还有的看到自己小时候的同学当了工程师，一秒钟内昏过去了四十七次！

一位唧唧唧大学生看见鲁西西的辫子比她的好看，气得要把鲁西西的辫子剪掉，吓得鲁西西满街跑。

整座城市都被唧唧唧大学毕业生弄乱了，市民们吓得躲在家里不敢出来，在窗户前偷看。

鲁西西躲在一位好心的阿姨家里，要不然，她非被那些唧唧唧大学毕业生撕碎了不可。

xiàn zài dà jiē shang jiù shèng xià jī jī jī dà
现在，大街上就剩下唧唧唧大
xué bì yè shēng le tā men méi yǒu jí dù de mù biāo
学毕业生了。他们没有嫉妒的目标，
jiù hù xiāng jí dù qǐ lái tā men lí kāi jí dù yī
就互相嫉妒起来。他们离开嫉妒，一
fēn zhōng yě huó bù liǎo
分钟也活不了。

nǐ de gè zi gàn má bǐ wǒ gāo yī gè ǎi
“你的个子干吗比我高？”一个矮
gè zi bì yè shēng cháo lìng yī gè gāo gè zi bì yè shēng
个子毕业生朝另一个高个子毕业生
pū qù
扑去。

nǐ gàn má bǐ wǒ zhǎng de hǎo yī gè nǚ
“你干吗比我长得好？”一个女

毕业生朝另一个女毕业生扑过去。

他们互相生着气，扭打着，咒骂着……最后，全都气得昏过去了，躺在大街上。

这座城市的居民都是好心肠，他们专门腾出了一家医院，又开来许多辆救护车，把唧唧唧大学毕业生都送进医院抢救。

鲁西西也参加了抢救工作。

为了防止唧唧唧大学生醒过来再闹事，公民们在医院周围修筑了高大的围墙。

果然，唧唧唧大学毕业生们刚一被抢救过来，就又发疯似的互相嫉妒起来，还大声唱着他们的校歌。

经过慎重研究，公民们决定采取几项必要的措施：

一、给唧唧唧大学毕业生穿一模一样的衣服，连缝扣子的线都要一样的颜色，否则他

men yòu huì hù xiāng jí dù
们又会互相嫉妒。

èr suǒ yǒu de jī jī jī dà xué shēng
二、所有的唧唧唧大学生
yī lǜ tì guāng tóu dù jué yīn wèi bié rén de
一律剃光头，杜绝因为别人的
tóu fa bǐ zì jǐ de hǎo ér chū xiàn dǎ jià de
头发比自己的好而出现打架的
xiàn xiàng
现象。

sān tōng guò shǒu shù shǐ jī jī jī dà
三、通过手术，使唧唧唧大
xué shēng de shēn cái yī bān gāo
学生的身材一般高。

hái yǒu xǔ duō jù tǐ guī dìng shǐ de zhù zài yī
还有许多具体规定，使得住在医
yuàn li de jī jī jī dà xué bì yè shēng wán quán yī yàng
院里的唧唧唧大学毕业生完全一样，
shéi yě bié jí dù shéi
谁也别嫉妒谁。

cóng zhè yǐ hòu bèi guān zài yī yuàn li de jī jī
从这以后，被关在医院里的唧唧

唧大学生再也不嫉妒了，大家头一次感觉到生活的美好。

为此，嘟嘟嘟校长提出了强烈抗议，可是没有人理她。

嘟嘟嘟校长在报纸上登了这样一条广告：

谁不看谁是小狗

据了解，有许多人在刻苦自学本大学课程。为此，本大学从即日起设立函授班。对于自学成才者，本大学一视同仁，发给唧唧唧大学毕业文凭。

嘟嘟嘟校长

tīng shuō quán shì jiè dōu yǒu zì xué jī jī jī dà
听说，全世界都有自学唧唧唧大
xué kè chéng de yè yú dà xué shēng tā men kàn le zhè
学课程的业余大学生，他们看了这
tiáo guǎng gào tè gāo xìng
条广告，特高兴。

dàn gāo gōng zhǔ
Ⓢ 蛋糕公主

lǔ xī xī pǎo biàn le quán chéng yě méi jiàn dào tuán
鲁西西跑遍了全城，也没见到团
tuán de yǐng zi
团的影子。

tā shùn zhe lái de lù chū le chéng
她顺着来的路出了城。

lǔ xī xī kāi shǐ xiǎng bà ba mā ma le tā hái
鲁西西开始想爸爸妈妈了，她还
cóng lái méi zhè me cháng shí jiān lí kāi guo bà ba mā ma
从来没这么长时间离开过爸爸妈妈。

lǔ xī xī lái dào yī zuò xiǎo shān pō xià miàn zuò
鲁西西来到一座小山坡下面，坐
zài cǎo dì shang kū qǐ lái
在草地上哭起来。

忽然，她觉得背后的土坡动了，鲁西西回头一看，土坡上打开了一扇门，一个皮肤白白的小姑娘探出头来说："请你不要在这儿哭了，你看，你的眼泪都流到我们宫殿里来了。"

"宫殿？"鲁西西自言自语地说。

"当然。"小姑娘肯定地说。

鲁西西探头一看，土坡里面真是

一座金碧辉煌的宫殿。

“团团在里面吗？”鲁西西怀着一线希望问。

“什么团团？”小姑娘问。

“就是一个女孩子。”

“你进来找找嘛！”

鲁西西跟着小姑娘走进了宫殿。鲁西西本来眼泪就多，加上几天没哭了，全积攒到一起，把宫殿的地弄湿了一大片。

“真对不起。”鲁西西对小姑娘说。

“其实也没关系，只是我们都怕水。”

“怕水？”鲁西西惊奇地问。

“我们的身体是用蛋糕做的。”

“蛋糕做的？”鲁西西仔细一看，小姑娘的皮肤那么白，原来都是奶油。

宫殿非常漂亮：高大的柱子，雕刻着美丽花纹的墙壁……

整个宫殿都弥漫着扑鼻的香味儿。鲁西西仔细一看，原来宫殿也是用蛋糕做的。小姑娘领着鲁西西来到一个香喷喷的房间，一位漂亮的蛋糕公主正坐在屋里发愁。

“你好！”鲁西西有礼貌地说。

“你好！”蛋糕公主惊奇地望着鲁西西，小心翼翼地站起来，

“你是……”

“我叫鲁西西，我来找一个叫团团的朋友。”

“我们这儿没有叫团团的。”蛋糕公主说。

鲁西西失望了。

“你从哪儿来？”蛋糕公主感兴趣地问。

“从外面。”鲁西西没精打采地说。她肚子饿极了。

“外面好玩吗？”蛋糕公主问。

“你没出去过？”鲁西西不相信。

“没有。我妈妈不让我出去。”

“整天待在宫殿里？”

“嗯。”

“干吗不让你出去？”

“怕我出危险。”

“那多没意思。”

“可不是嘛。你给我讲讲外边的事吧！”

鲁西西的肚子直叫唤，可她想起阔阔舰长的话：“由于你的存在，使

zhōu wéi de rén gǎn dào huān lè yú shì lǔ xī xī rěn
周围的人感到欢乐。”于是，鲁西西忍
zhe dù zi è gěi dàn gāo gōng zhǔ jiǎng qǐ le wài miàn de
着肚子饿，给蛋糕公主讲起了外面的
gù shi
故事。

dàn gāo gōng zhǔ yī biān tīng yī biān xiào
蛋糕公主一边听一边笑。

lǔ xī xī de dù zi jiào le yī shēng
鲁西西的肚子叫了一声。

nǐ shuō shén me dàn gāo gōng zhǔ yǐ wéi lǔ
“你说什么？”蛋糕公主以为鲁
xī xī zài shuō huà
西西在说话。

dù zi zài jiào
“肚子在叫。”

dù zi gàn má jiào
“肚子干吗叫？”

tā è le
“它饿了。”

shén me jiào è
“什么叫饿？”

jiù shì hǎo cháng shí jiān méi chī fàn
“就是好长时间没吃饭。”

chī fàn
“吃饭？”

lǔ xī xī zhǐ hǎo xiáng xì de gào su dàn gāo
鲁西西只好详细地告诉蛋糕

gōng zhǔ shén me jiào chī fàn, yǐ jí wèi shén me yào
公主什么叫吃饭，以及为什么要
chī fàn děng děng
吃饭等等。

nà nǐ dào nǎr qù chī fàn ya dàn gāo gōng
“那你到哪儿去吃饭呀？”蛋糕公
zhǔ yī tīng shuō lǔ xī xī hái néng è sǐ, zháo jí le
主一听说鲁西西还能饿死，着急了。

lǔ xī xī kàn zhe gōng diàn zhí yàn kǒu shuǐ, kě tā
鲁西西看着宫殿直咽口水，可她
zǒng bù néng shuō bǎ nǐ de gōng diàn gěi wǒ chī le ba
总不能说：“把你的宫殿给我吃了吧！”

lǔ xī xī chī le xiāng jiāo wáng zǐ de chē lún zi
鲁西西吃了香蕉王子的车轮子

nǐ kuài shuō, nǐ xiǎng chī shén me wǒ néng bāng
“你快说，你想吃什么？我能帮
nǐ de máng ma dàn gāo gōng zhǔ cuī lǔ xī xī
你的忙吗？”蛋糕公主催鲁西西。

lǔ xī xī shí zài è de shòu bù liǎo, jiù zhǐ zhe
鲁西西实在饿得受不了，就指着
zhuō zi shang de huā píng shuō zhè ge jiù néng chī
桌子上的花瓶说：“这个就能吃。”

dàn gāo gōng diàn li de
蛋糕宫殿里的
suǒ yǒu dōng xi dōu shì yòng dàn
所有东西都是用蛋
gāo zuò de
糕做的。

chī huā píng
“吃花瓶？”
dàn gāo gōng zhǔ bàn xìn
蛋糕公主半信
bàn yí de bǎ huā píng dì
半疑地把花瓶递
gěi lǔ xī xī dāng
给鲁西西，“当
xīn diǎnr
心点儿。”

lǔ xī xī jiē guo huā píng jiù shì yī kǒu zhēn xiāng
鲁西西接过花瓶就是一口，真香，
nà xiē huā wén shì yòng qiǎo kè lì diāo kè de
那些花纹是用巧克力雕刻的。

dàn gāo gōng zhǔ zài yī páng biān kàn biān xiào
蛋糕公主在一旁边看边笑。

děng lǔ xī xī chī wán le huā píng dàn gāo gōng
等鲁西西吃完了花瓶，蛋糕公
zhǔ yòu dì gěi tā yī bǎ shū zi bǎ zhè ge yě
主又递给她一把梳子，“把这个也
chī le ba
吃了吧。”

lǔ xī xī bù kè qi de bǎ shū zi yě chī le
鲁西西不客气地把梳子也吃了。

gān cuì bǎ zhuō zi yě chī le ba dàn gāo gōng
“干脆把桌子也吃了吧！”蛋糕公
zhǔ pà lǔ xī xī hái méi chī bǎo
主怕鲁西西还没吃饱。

bǎo le bǎo le lǔ xī xī tāo chū shǒu juàn
“饱了，饱了。”鲁西西掏出手绢
cā cā zuǐ xiè xie nǐ
擦擦嘴，“谢谢你。”

dōu chī le cái hǎo ne dàn gāo gōng zhǔ tàn le
“都吃了才好呢。”蛋糕公主叹了
kǒu qì
口气。

wèi shén me lǔ xī xī wèn
“为什么？”鲁西西问。

wǒ mā ma fēi yào wǒ jià gěi xiāng jiāo wáng zǐ
“我妈妈非要我嫁给香蕉王子，
wǒ bù yuàn yì dàn gāo gōng zhǔ shāng xīn de shuō
我不愿意。”蛋糕公主伤心地说。

nǐ bù yuàn yì nǐ mā ma gàn má ràng nǐ jià
“你不愿意，你妈妈干吗让你嫁
gěi tā
给他？”

wǒ mā ma shuō xiāng jiāo wáng zǐ yǒu qián
“我妈妈说香蕉王子有钱。”

yòu bù shì hé qián jié hūn bié kàn lǔ xī xī
“又不是和钱结婚。”别看鲁西西

年纪不大，挺懂事。

“就是！可妈妈不答应。明天香蕉王子就要来迎亲了。”蛋糕公主伤心极了，“他还不知道呢。”

“他是谁？”鲁西西问。

“菠萝王子。”蛋糕公主不好意思地说，“我们一直很好。他没钱，可他心眼儿好，对我好。而且他肯定能自己挣到钱。”

鲁西西真替蛋糕公主着急。

忽然，鲁西西想起了什么，忙问蛋糕公主：“香蕉王子是香蕉做的吗？”

“那当然。”

“他的车子也是香蕉做的喽？”

“那当然。”

“我有办法了，”鲁西西兴奋地说，“明天我在香蕉王子来的路上等着他，把他的车轮子吃掉，他就来不成了。你今天晚上叫人快去告诉菠萝王子，明天上午来接你，不就行了吗？”

蛋糕公主的眼睛里放出了异彩。

“让你去吃车轮子，真过意不去。”

“没关系，反正是香蕉做的，还吃得惯。”

为了帮助蛋糕公主，让鲁西西把整辆车吃掉都行。

第二天一早，鲁西西来到了香蕉王子的必经之路等候他。

不一会儿，远处出现了一辆车。鲁西西原以为香蕉王子坐的一定是马车，没想到他坐的是小汽车。

“得多吃两个轮子了。”鲁西西心说。

正巧，香蕉王子把车停下了。他去给蛋糕公主采花。

鲁西西跑过去，抱着汽车轮子就吃。要在平时，鲁西西吃香蕉挺细嚼慢咽的，这回不一样了，她拼命往嘴里塞着，一点儿也没觉得香。

刚吃了两个轮子，鲁西西就看见香蕉王子抱着一束鲜花走过来了。鲁西西一想，只剩两个轮子反正也走不了，就悄悄跑了。

回到蛋糕公主的宫殿一看，菠萝王子的马车停在门口，蛋糕公主正准备上马车呢。

“行啦，香蕉王子来不了了！我把他的汽车轮子吃了。”鲁西西告诉蛋糕公主。

“谢谢你，鲁西西。”蛋糕公主感激地说。

“你们快走吧，祝你们幸福！”

lǔ xī xī shuō tā jué de zì jǐ hǎo xiàng zhǎng dà le
鲁西西说，她觉得自己好像长大了
xǔ duō
许多。

nǐ ne dàn gāo gōng zhǔ wèn
“你呢？”蛋糕公主问。

wǒ chū qù zhǎo tuán tuán zài jiàn lǔ xī xī
“我出去找团团。再见！”鲁西西
cháo mǎ chē li de dàn gāo gōng zhǔ bǎi bǎi shǒu
朝马车里的蛋糕公主摆摆手。

zài jiàn dàn gāo gōng zhǔ de shēng yīn yǒu diǎn
“再见！”蛋糕公主的声音有点
gěng yè le
哽咽了。

lǔ xī xī kàn jiàn dàn gāo gōng zhǔ liú xià liǎng dī
鲁西西看见蛋糕公主流下两滴
nǎi yóu yǎn lèi lǔ xī xī de yǎn jing yě shī le
奶油眼泪。鲁西西的眼睛也湿了。

U 眼泪湖奇遇
yǎn lèi hú qí yù

lǔ xī xī lí kāi le dàn gāo gōng diàn tā kě jí
鲁西西离开了蛋糕宫殿，她渴极

le dàn gāo gōng diàn li yī diǎn shuǐ yě méi yǒu
了，蛋糕宫殿里一点水也没有。

fān guò liǎng zuò xiǎo shān pō lǔ xī xī tīng jiàn le
翻过两座小山坡，鲁西西听见了
shuǐ de shēng yīn tā cháo zhe yǒu shuǐ shēng de dì fang pǎo
水的声音，她朝着有水声的地方跑
guò qù
过去。

shuǐ shēng shì cóng yī zuò yuán xíng de hú li fā chū
水声是从一座圆形的湖里发出
de hú shuǐ dōu kuài zhǎng chū lái le
的，湖水都快涨出来了。

lǔ xī xī yě gù bù shàng shén me wèi shēng bù wèi
鲁西西也顾不上什么卫生不卫
shēng tā pā zài hú biān yòng shǒu pěng qǐ hú shuǐ hē
生，她趴在湖边，用手捧起湖水，喝

了一大口。

“哇——”鲁西西把水全吐了出来，咸极了。

“哈哈。”湖里传来一阵笑声。

鲁西西有点儿生气了，人家喝了咸水，谁在那儿幸灾乐祸呀？

湖里冒出一个鲁西西从来没见过的小怪物，样子很难看。

“你是谁？干吗笑我？”鲁西西往后退了一步，她挺讨厌这个小怪物。

“我叫娇娇虫，我们还得谢谢你

呢！”娇娇虫一笑真难看。

“对了，我们得谢谢你！”一群娇娇虫把头探出水面。

“这么多！”鲁西西又往后退了一步，“你们谢我干吗？”

“这个湖里的水全是由你们女孩子的眼泪汇成的——当然也有你的眼泪。我们娇娇虫只能在眼泪里生存。那边的湖是专门盛男孩子眼泪的。那里面的娇娇虫可没我们这边生活得好。”一个娇娇虫得意地告诉鲁西西。

鲁西西没想到，哭鼻子时流出的眼泪都集中在眼泪湖里了，而且还分男孩子眼泪湖和女孩子眼泪湖！

“去男孩子眼泪湖看看。”鲁西西转身跑去。

男孩子的眼泪湖只有一点儿水，寥寥无几的几个娇娇虫泡在水里，一动不动。

鲁西西看到女孩子眼泪湖有这么多泪水，心里挺不是滋味儿，她忽然发现两个湖中间有一个闸门。

鲁西西走到闸门旁边，二话没说，把女孩子眼泪湖里的不少泪水放到男孩子眼泪湖里，直到两个湖里的眼泪一样多才关上闸门。

女孩子眼泪湖里的娇娇虫大声

抗议。男孩子眼泪湖里的娇娇虫高兴得直叫。

“你干吗？”女孩子眼泪湖里的娇娇虫质问鲁西西。

“重新开始，以前的不算！我就不信女孩子的眼泪比男孩子的多。”鲁西西说。她看见两个湖的水一样高了，心满意足地走了。鲁西西相信，女孩子眼泪湖的眼泪不会再比男孩子眼泪湖的眼泪多了。

V 电影明星失业了

diàn yǐng míng xīng shī yè le

dào nǎr qù zhǎo shuǐ hē ne lǔ xī xī dōng zhāng xī wàng de zǒu zhe

到哪儿去找水喝呢？鲁西西东张西望地走着。

qián bian chuán lái yī zhèn qiāo luó dǎ gǔ shēng hé biān pào shēng

前边传来一阵敲锣打鼓声和鞭炮声。

lǔ xī xī zǒu guò qù yī kàn hǎo duō rén zài yī zuò dà lóu qián miàn yòu bèng yòu tiào dà lóu shang guà zhe yī kuài pái zi

鲁西西走过去一看，好多人在一座大楼前面又蹦又跳，大楼上挂着一块牌子：

tā men gàn má zhè me gāo xìng lǔ xī xī wèn

“他们干吗这么高兴？”鲁西西问

身边的一个小姑娘。

“导演刚刚发明了一台最新式的摄影机，叫、叫……”小姑娘想了想，“叫立体透视全息摄影机，用它拍出来的电影，观众不但能看清演员表面，还能看到演员的心里。”

“真的？你看过？”鲁西西不相信，她是个电影迷，特别爱看电影，还幻想过当电影演员呢。

“当然是真的。”小姑娘看鲁西西不信她的话，噘嘴了，“不过，还没拍过电影呢，这台摄影机刚刚发明出来。”

鲁西西顺着小姑娘的手一看，那

台特殊的摄影机披红挂绿地立在人群中央，在阳光下闪闪发光。

“这儿有水喝吗？”鲁西西问小姑娘。

“那儿不是有吗？”小姑娘指指楼门口的一个保温桶，“你快点喝，一会儿就要开始拍电影了。”

鲁西西真高兴，还能看上拍电影，她经常梦到拍电影。

鲁西西足足喝了五杯水。

立体透视全息摄影机被抬进了摄影棚里，电影就要开拍了，导演和副导演正在商量。

“拍喜剧还是悲剧？”副导演

问导演。

“拍喜剧吧！”导演说。

“头一部‘立体透视全息电影’，还是拍悲剧好一些吧？”副导演说。

“生活中的悲剧到处都是，咱们还是多拍点儿喜剧让人们高兴高兴吧，干吗让人家花钱掉眼泪呢？”导演说。

“行，那就拍喜剧吧。”副导演觉得导演说得很有道理。

电影明星们都化好了妆，一个个打扮得漂亮极了，她（他）们在等待导演挑选去当主角。

“你来试一下镜头。”导演对一个

zhǎng de měi jí le de nǚ míng xīng shuō
长得美极了的女明星说。

xiè xie nín nǚ míng xīng chòng dǎo yǎn yī xiào
“谢谢您。”女明星冲导演一笑，
liǎn shang de liǎng gè jiǔ wō qǐ mǎ néng zhuāng èr liǎng jiǔ
脸上的两个酒窝起码能装二两酒。

lǔ xī xī xiàn mù de wàng zhe tā
鲁西西羡慕地望着她。

“开始！”导演一声令下，新式摄影机开始工作。

“停！”导演一边说一边擦汗，“看样片。”

副导演从新式摄影机中取出胶片，装进放映机里。

整个摄影棚变黑了，电影放映机开始放映刚才拍的短镜头。

真是最神奇的新式电影！观众不但能看到演员的外表，而且能看见演员的内心世界。

“啊？”观众们不约而同地大叫起来。

银幕上，那位漂亮的女明星风度

翩翩，外表美极了。可她的心灵一点儿也不美，净是些乱七八糟的脏东西，难看死了。

观众们怎么也没想到，他们日夜崇拜的女明星内心居然这么丑！

摄影棚的灯亮了，人们想看看那位女明星，她早已跑了。

“唉，”导演摇摇头，“你来试试镜头。”

一位仪表堂堂的男明星高兴得冲导演鞠了一躬。

“开拍！”导演一声令下。

“停！放样片。”导演宣布。

天哪，银幕上男明星的心灵比

gāng cái nà wèi nǚ míng xīng hái nán kàn
刚才那位女明星还难看。

huān huān diàn yǐng zhì piàn chǎng de suǒ yǒu diàn yǐng míng
欢欢电影制片厂的所有电影明
xīng dōu shì le jìng tóu quán bèi táo tài le
星都试了镜头，全被淘汰了！

suí zhe lì tǐ tòu shì quán xī diàn yǐng de dàn shēng
随着立体透视全息电影的诞生，
xǔ duō diàn yǐng míng xīng shī yè le
许多电影明星失业了。

dǎo yǎn wǒ kàn zhè xīn shì shè yǐng jī hái shi
“导演，我看这新式摄影机，还是
bié yòng le ba fù dǎo yǎn xiǎo xīn yì yì de tí yì
别用了吧！”副导演小心翼翼地提议。

bù yào yòng dǎo yǎn jiān dìng de shuō guān
“不，要用。”导演坚定地说，“观
zhòng yào kàn nà xiē biǎo lǐ dōu měi de yǎn yuán
众要看那些表里都美的演员。”

lǚ xī xī bèi dǎo yǎn kàn zhòng
鲁西西被导演看中

xiǎo gū niang nǐ guò lái dǎo yǎn fā xiàn lǚ
“小姑娘，你过来。”导演发现鲁

西西长得挺漂亮。

“我？”鲁西西不敢相信导演会叫她。

“嗯，就是你。”导演笑眯眯地说。

鲁西西的心怦怦直跳。她走到导演面前。

“你叫什么名字？”导演和蔼地问。

“鲁西西。”

“好名字！想拍电影吗？”

“想，嗯……不想。”鲁西西看见那么多电影明星都拍不好这新式电影，自己肯定不行。

“试试镜头，好吗？”导演凭他的

yǎn lì jué de lǔ xī xī shì gè yǒu fā zhǎn qián tú de
眼力，觉得鲁西西是个有发展前途的
yǎn yuán miáo zi
演员苗子。

lǔ xī xī tóng yì le
鲁西西同意了。

kāi pāi dǎo yǎn xuān bù
“开拍！”导演宣布。

lǔ xī xī zài dǎo yǎn de zhǐ huī xià biǎo yǎn zhe
鲁西西在导演的指挥下，表演着。

tíng fàng yàng piàn dǎo yǎn shuō
“停！放样片。”导演说。

lǔ xī xī tóu yī cì kàn dào zì jǐ chū xiàn zài diàn
鲁西西头一次看到自己出现在电

影银幕上，她高兴得真想跳起来。

“这小姑娘外表和内心都美！”观众们兴高采烈地赞叹着。

银幕上，鲁西西的内心世界展现在观众面前，温柔、善良、大方、心胸开阔、富有同情心……

“你被录取了！”导演兴奋地对鲁西西说。

鲁西西没想到，自己能当上电影演员。

ⓧ 心里美和外表美都重要

经过一番精心挑选，导演又选中了一批演员。

第一部立体透视全息故事片就要开拍了，片名叫作《乐乐乐》。

化妆师为鲁西西化妆。

鲁西西平时爱穿漂亮的衣服，也

爱照镜子。男生经常起哄说她臭美。老师有时也让她克服这个缺点。

“导演叔叔，爱打扮是缺点吗？”鲁西西问站在一旁看她化妆的导演。

“怎么是缺点呢？”导演大吃一惊，“谁不爱美呀！把自己的外表打扮得漂亮点有什么不好？不过，在打扮外表的同时千万别忘了把自己的内心也打扮得漂亮些，心里美和外表美都重要嘛。”

“外表美比不上心里美重要吧？”鲁西西问。她记得，老师这么说过。

nǐ gàn má fēi yào bǎ tā men duì lì qǐ lái
“你干吗非要把它们对立起来
ne dǎo yǎn fǎn wèn dào rú guǒ měi gè rén dōu chuān
呢？”导演反问道，“如果每个人都穿
de piào piào liàng liàng néng gěi dà zì rán zēng tiān duō shao
得漂漂亮亮，能给大自然增添多少
guāng cǎi
光彩！”

lǔ xī xī míng bai le zhǐ yào yǒu yī kē shàn liáng
鲁西西明白了，只要有一颗善良
de xīn wài biǎo dǎ ban de yuè piào liang yuè hǎo
的心，外表打扮得越漂亮越好。

zài diàn yǐng li pèng dào tuán tuán
Y 在电影里碰到团团

lè lè lè kāi pāi le
《乐乐乐》开拍了。

lǔ xī xī zài yǐng piàn zhōng dān rèn zhǔ jué tā tóu
鲁西西在影片中担任主角。她头
yī cì pǎo dào diàn yǐng li jué de yī qiè dōu shì nà me
一次跑到电影里，觉得一切都是那么
xīn xiān yǒu qù
新鲜有趣。

鲁西西来到一座大花园里。花园里盛开着各种各样美丽的鲜花。这些鲜花全是女孩子变的，鲁西西碰哪朵花，哪朵花就能变成女孩子。

看到这么多美丽的鲜花都是女孩子变的，鲁西西真为女孩子骄傲。

鲁西西碰了一朵牡丹，牡丹变成了一个漂亮的小姑娘；鲁西西又碰了一朵芍药，芍药变成了一位大姐姐……

lǔ xī xī kàn jiàn yī shù měi lì de shān chá huā zài
鲁西西看见一束美丽的山茶花在
yáng guāng xià wēi xiào tā pǎo guò qù yī pèng shān chá huā
阳光下微笑，她跑过去一碰，山茶花
biàn chéng le tuán tuán
变成了团团！

tuán tuán nǐ zài zhèr lǔ xī xī dà jiào
“团团！你在这儿！”鲁西西大叫
qǐ lái
起来。

bié jiào zhè shì pāi diàn yǐng na tuán tuán
“别叫，这是拍电影哪！”团团
gǎn máng wǔ zhù lǔ xī xī de zuǐ lǔ xī xī tǔ
赶忙捂住鲁西西的嘴。鲁西西吐
le yī xià shé tou huí tóu kàn kàn zhàn zài jìng tóu wài
了一下舌头，回头看看站在镜头外
miàn de dǎo yǎn
面的导演。

dǎo yǎn shì yì tā men jì xù yǎn tā jué de zhè
导演示意她们继续演，他觉得这
ge chǎng miàn tǐng zì rán yǒu zhēn shí gǎn
个场面挺自然，有真实感。

wǒ yě bèi xuǎn zhòng dāng yǎn yuán le tuán tuán
“我也被选中当演员了。”团团
yī biān bāng zhù lǔ xī xī pèng huā yī biān shuō
一边帮助鲁西西碰花，一边说。

tuán tuán wǒ zhēn xiǎng nǐ lǔ xī xī yào
“团团，我真想你。”鲁西西要

哭，但她想起眼泪湖，不哭了。

鲁西西和团团在大花园里尽情地跑尽情地跳，许许多多花朵都变成了小姑娘。

“奏乐！”导演一声令下，电影里响起了优美的音乐。

女孩子们在阳光下奔跑着，唱起她们的歌：

女孩子是鲜花，
在明媚的阳光下盛开；
女孩子是星星，
在美丽的天空中闪烁；
女孩子是小鸟，

zài chóu mì de shù lín li chàng gē
在稠密的树林里唱歌；
nǚ hái zi shì làng huā
女孩子是浪花，
wèi shēng huó de hǎi yáng zēng tiān huān lè
为生活的海洋增添欢乐。

2 鲁西西获奖
lǔ xī xī huò jiǎng

dì yī bù lì tǐ tòu shì quán xī gù shi piàn lè
第一部立体透视全息故事片《乐
lè lè gōng yìng le
乐乐》公映了！

tā hōng dòng le quán shì jiè guān zhòng men tóu yī
它轰动了全世界。观众们头一
cì kàn dào yǎn yuán de nèi xīn shì jiè xiàn zài guān zhòng
次看到演员的内心世界。现在，观众
bù dàn néng xīn shǎng yǎn yuán de wài biǎo měi hái néng xīn
不但能欣赏演员的外表美，还能欣
shǎng yǎn yuán de nèi xīn měi
赏演员的内心美。

diàn yǐng mí men jué dìng shè lì shuāng měi yǎn yuán
电影迷们决定设立“双美演员

奖”。第一届“双美演员奖”评选活动正在紧张地进行着，评选委员会每天都能收到像雪片一样多的选票。

鲁西西和团团住在一间屋子里，两个朋友话多得不得了。鲁西西把和团团分离后的奇遇都讲给团团听。好多事连团团都没听说过。

“真有阔阔舰长？”

鲁西西一连说了三个“真的”。

“你带我去看看，好吗？”团团还是不信一支舰队能开到人的心胸里去。

“我得回家了，下次再带你去。”鲁西西说。

nǐ hái lái wǒ men zhèr wán ma tuán
“你还来我们这儿玩吗？”团
tuán gāo xìng le
团高兴了。

dāng rán lái wǒ hái dài wǒ gē ge pí pí lǔ
“当然来。我还带我哥哥皮皮鲁
lái ne nǐ huān yíng ma
来呢，你欢迎吗？”

tā jìng rě huò ba tuán tuán dān xīn de wèn
“他净惹祸吧？”团团担心地问。

rě huò shì rě huò kě tā xīn yǎnr hǎo
“惹祸是惹祸，可他心眼儿好。”
lǔ xī xī wèi gē ge biàn hù
鲁西西为哥哥辩护。

xīn yǎnr hǎo jiù xíng xià cì nǐ dài pí pí
“心眼儿好就行，下次你带皮皮
lǔ yī qǐ lái wán ba tuán tuán dā ying le wǒ qù
鲁一起来玩吧！”团团答应了，“我去
jiē nǐ men
接你们。”

yī yán wéi dìng lǔ xī xī gāo xìng de shuō
“一言为定。”鲁西西高兴地说。

shuō huà suàn shù tuán tuán xiào le
“说话算数。”团团笑了。

lǔ xī xī nǐ huò jiǎng le dǎo yǎn ná zhe
“鲁西西，你获奖了！”导演拿着
bào zhǐ pǎo jìn lái
报纸跑进来。

鲁西西和团团接过报纸一看，报纸上用特大号字写着：鲁西西荣获首届“双美演员奖”。

下面密密麻麻地登着介绍鲁西西的文章。

鲁西西脸红了。

“一会儿去领奖，我先去叫汽车。”导演兴奋地跑了出去。

“咱们走吧！”鲁西西对团团说。

“去干吗？导演让等着呀！”团团说。

“你送我回家吧。”鲁西西说。

“你不去领奖了？”团团惊讶地问。

“我害怕别人冲我鼓掌。”鲁西西说的是真心话。

团团头一次看到演员得奖不去领奖。

“大概只有立体透视全息电影的

yǎn yuán cái huì zhè yàng tuán tuán xiǎng
演员才会这样。”团团想。

xíng wǒ sòng nǐ huí jiā
“行，我送你回家。”

tuán tuán hé lǔ xī xī táo chū le huān huān diàn
团团和鲁西西“逃”出了欢欢电
yǐng zhì piàn chǎng
影制片厂。

yī lù shang lǔ xī xī hé tuán tuán jìn qíng de
一路上，鲁西西和团团尽情地
pǎo lǔ xī xī cóng méi xiàng jīn tiān zhè me kuài huo guo
跑，鲁西西从没像今天这么快活过。

dào le tuán tuán chuǎn zhe qì shuō
“到了。”团团喘着气说。

lǔ xī xī rèn chū le zhè jiù shì tā jìn lái
鲁西西认出了这就是她进来
de dì fang
的地方。

yī xiǎng dào jiù yào fēn bié lǔ xī xī hé tuán tuán
一想到就要分别，鲁西西和团团
dōu tǐng nán guò
都挺难过。

méi guān xi nǐ bù shì shuō hái lái wán ma
“没关系，你不是说还来玩吗？”
tuán tuán ān wèi lǔ xī xī
团团安慰鲁西西。

ǹg lǔ xī xī shuō bù chū huà le
“嗯。”鲁西西说不出话了。

“你闭上眼睛，什么都别想，就回家了。”团团说。

“再见！团团。”鲁西西握住团团的手。

鲁西西闭上眼睛，觉得身体飘了起来……

皮皮鲁总动员
www.pipilu.com
用我们的想象力，带给亿万人快乐。

郑渊洁经典童话作品

皮皮鲁和鲁西西系列

让想象力在幻影号、魔方大厦、大侦探乔麦皮等经典故事中全新放飞

本套书收录了以皮皮鲁和鲁西西为主角的童话故事，他们的好朋友罗克、袁猎猎和舒克、贝塔等也时不时来客串。其中还特别收录了郑渊洁全新原创力作《皮皮鲁和魔鬼号列车》。在这套书里，皮皮鲁他们还开上了幻影号，跟大侦探乔麦皮破案无数，结识了魔方大厦中的来克，又去309暗室里冒险了一番……精彩的历程只会让你直呼过瘾。大家在这里先睹为快吧，更多精彩故事陆续出版中。

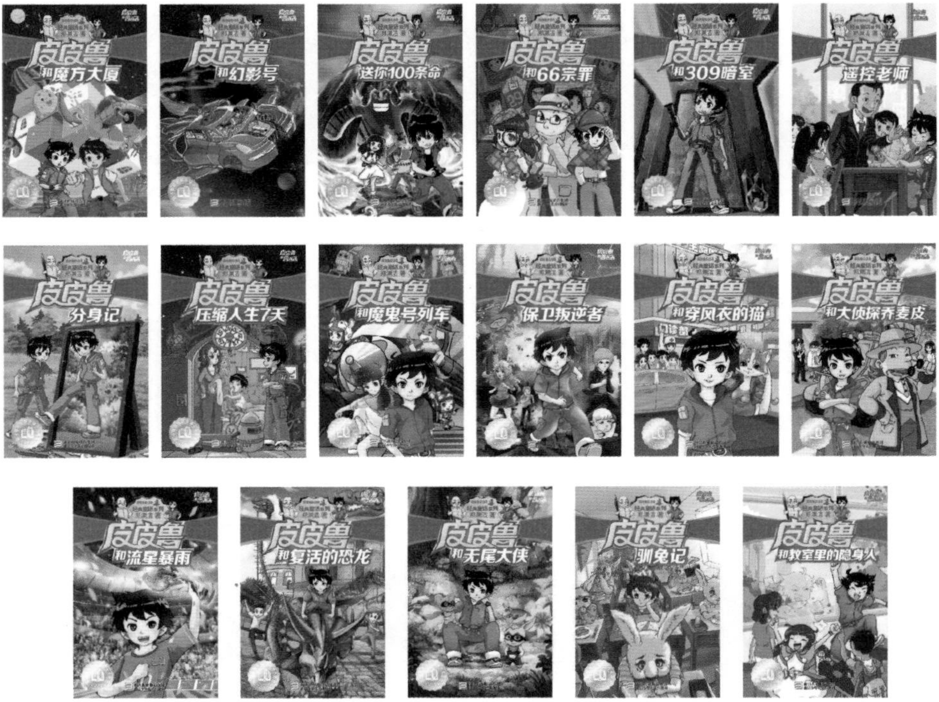

全国各地书店和当当有售

图书在版编目(CIP)数据

鲁西西外传/郑渊洁著.—杭州:浙江少年儿童出版社,2017.11(2018.4重印)
(郑渊洁经典童话:注音版)
ISBN 978-7-5597-0269-2

Ⅰ.①鲁… Ⅱ.①郑… Ⅲ.①童话-中国-当代 Ⅳ.①I287.7

中国版本图书馆CIP数据核字(2017)第170434号

郑渊洁经典童话:注音版
鲁西西外传
LUXIXI WAIZHUAN
郑渊洁 著

责任编辑 马樱滨
总 策 划 郑亚旗
监 制 刘元冲 王 慧
策划执行 丁 汀 张嘉琪
封面绘制 马腾坤 钟 鑫 汕头市禾道绘文化传播
插图绘制 汕头市禾道绘文化传播
封面设计 孙 洋
版式设计 辰征文化
责任印制 王 振 张 丽

浙江少年儿童出版社出版发行
(杭州市天目山路40号)
北京盛通印刷股份有限公司印刷
全国各地新华书店经销
开本 840mm×1300mm 1/32
印张 5 字数 75000
印数 60171—72245
2017年11月第1版
2018年4月第2次印刷
ISBN 978-7-5597-0269-2
定价:22.00元
(如有印装质量问题,影响阅读,请与购买书店或承印厂联系调换)
承印厂联系电话:010—52249888转836